김동호 비평집

김동호 1990년생

울산 거주

연락처:010-4818-2917

한국방송통신대학교 국어국문학과 학사

한반도 문학 평론부문 신인상 당선

계간 문예창작 소설부문 신인상 당선

저서: 고독, 아가, 페페, 눈부신 날에

들어가면서

평론으로 결국, 책을 내게 되었습니다. 제 석사과정 과제물이라든지, 논문이라든지 이러한 주제로 작성할 예정입니다. 좀 더 나를 낮춰야 하는데 그게 쉽지가 않습니다. 어떠한 현상에 상(相)이 존재한다면 곧, 죽음이라고 생각합니다. 그랬기 때문에 목숨을 걸고 더 낮춰야하는 필요성이 있습니다.

마음을 내려놓듯이 '낮음'이라는 현상에 다가가려면, 세상에 저보다 잘난 사람이 얼마나 많다는 것을 깨닫게 됩니다. 하지만 그 '낮음'이라는 상과 '자존감'이라는 것은 상대됩니다. 낮추는 것은 맞지만, '자존감'은 반드시 갖춰줘야 합니다. 그게 세상의 이치입니다.

내년에 대학원에 가게 됩니다. 결론은 사람들을 '이해'하고 '배려'하는 것을 목적으로 살아가야 하겠습니다.

차례

이춘풍전 평론 (한반도 문학 평론 신인문학상 당선작)

이춘풍전의 '물질'과 '권력'에 대한 분석과 경제적인 자립

1)서론

 이춘풍전의 갈래는 판소리계 소설이다. 판소리계 소설은 서술자가 개입하는 경우가 다반사라고 할 수가 있었다. 그 서술자의 개입으로 독자에게 다양한 의미로 다가온다.

 첫 서두에서 <이춘풍전>의 공통된 핵심주제에 대해서 간단히 서술해보자면, 다의적인 '물질'과 '권력'이라는 형상 앞에서 인간이 지극히 낮아질 수밖에 없다는 것에 대한 사회현상을 핵심주제로 이야기하고 있다는 것이 느껴진다.

 즉, 세상의 이치가 물질 중심적 세계관임을 말하고 있다. 그 엄청난 힘을 가진 '물질'이라는 형상은 과연, 어떤 것에 대해 말해주고 있는가? 인간은 물질이라는 형상으로 세상을 살아가는 권력을 가질 수 있고, 살아서 지었던 업장(業障)들을 깨뜨릴 수 있는 매우 특별한 기회에 대한 근거라고 단언할 수가 있다. 필자는 <이춘풍전>에서는 물질과 애정에 대해서 주체적으로 이야기하고 있지만, 이 논설문에서는 물질에 관해서만 이야기해보겠다.

 물질이라는 형태를 베풀면 그게 곧 권력과 명예가 되듯이 소유권이 존재하지 않은 물질은 '베품'으로 이어나가기가 어렵다. 그 '베품'에는 숱한 간섭들이 따라붙었고 그러한 보시는 무언가를 주었다는 마음가짐 즉, 무거운 상(相)만 남게 된다.

 <이춘풍전>의 핵심적인 주제는 물질이었고 그와 관련된 보시(布施)의 세 가지의 분류 중에 '물질로 어떠한 상(相)에

대해 베푼다.'라는 뜻으로 재보시(財布施)가 있다. 그러한 상(相)과 상(相)의 대립 속에서 상(相)에 머무르지 않는 재보시로 인한, 그에 따른 공덕(功德)은 이루 말할 수 없이 크다고 단정 지을 수 있다.

마치, 허깨비같이 한정적으로 펼쳐져 가는 세상이라는 형상은 어떤 법칙에 의한 시스템으로 이루어지고 있다고 어떠한 가설을 세워보자. 그 법칙 중 하나가 베풀어야 어떠한 공덕을 가지는 것이라고 단언하게 된다면, 사람이 죽어서만 갈 수 있는 사후세계인 천국과 지옥도 현세에서 물질이 있어야 가게 된다는 논리이다. (다만, 신약성서에 나오는 서기관과 바리새인은 상에 지나치게 머문 보시를 해서일 것이다.)

그 논점을 세부적으로 파헤쳐 들자면, 불교에서의 보시로 바라보는 이춘풍전에 대한 가설은 대단히 객관적일 수밖에 없다는 점이다. 새로운 관점에서 다가가자면 천국과 지옥은 어쩌면 현재 살아가는 사바세계에도 충분히 존재할 수 있었다.

2)본론

<이춘풍전>에 다가서자면 어떠한 제대로 된 물질에 대한 권리에 다가서기에 앞서 성장한 인격체라면 홀로서기가 어느 정도 이루어져야 한다.

'술 한잔 못 먹어도 돈 한 푼을 못 모으고 각동이는 오십이 되어도 주색을 몰랐어도 남의 집 사환을 못 면하고……'

판소리를 해설자가 소설을 해설하는 이런 대목이 나온다.

소설에서 주연인 이춘풍은 현실을 극복하기 위해 수단과 방법을 가리지 않고 오천냥이라는 큰돈을 벌어오게 된다. 자신의 소유권이 명확한 돈을 가지면 일반적인 자유로운 '나눔'을 할 수 있다는 현실적인 실체성이 생긴다.

물질을 나누게 되면 그에 따른 보시의 과보(果報)로 권력과 명예도 그 뒤를 따라온다는 불교의 핵심사상인 '심은대로 거둔다'라는 법칙이 있었다. 내가 여기서 말하고 싶은 그 '세상의 시스템'이라는 다양한 방식이었다.

'사람은 반드시 노동이라는 대가로 물질을 받아서 생계를 유지할 수 있고, 거기에는 반드시 자신의 노력이라는 방식이 일정한 시스템적으로 개입되어야 한다는 것이다.'

또한, 물질이 있어야지만 사랑이 쉬워진다는 점은 조선 시대나 현대 시대와 매우 유사하다.

하지만 반대로 물질이라고 하는 것은 잘못 쓰게 된다면 악영향을 미치게 되는 경우가 있다.

여기서 사람의 정체성에 대해서 논해보자면 과연 '경제적인 자립'이라고 하는 것은 어떤 것을 말하고 있는가? 한 나라가 다른 나라의 내정간섭에서 벗어나 독립한다는 것과 한 사람이 경제적인 자립을 해서 스스로 살아간다는 것은 많은 유사점이 있다고 본다. 어떤 나라든지, 독립하지 않고 강대국에 의존한 속국이 발전해서 강대국이 된 사례는 극히 드물다.

개인과 집단의 경제적인 자립(自立)이란 개념도 국가적인 독립의 형태와 매우 유사하다. 그 개인적인 견해를 객관화시켜서 표현해보자면, 일정한 나이가 되면 어떠한 갈등에 대해서 독자적으로 판단하고 결정할 수 있는 단호한 결단력이 필요한 것이 분명한데, 만약 그 과정에서 살아온 시간의 차이가 다른 부모님의 주관이 맹목적으로 개입하게 된다면, 독자적인 결론을 기대하기가 어렵다. (이춘풍전과 비장의 대화에서 핵심 부분에 대해 정리한 것이다.)

여기서 개개인의 자립과 <이춘풍전>의 소설의 내용에 대한 개연성을 논해보자면. 권력과 명예는 결국, 간단하게 '노력'과 마음의 '근기'에 따라 이루어지는 것이다.

'자본주의'라는 단어의 정의는 '사유재산제*'에 바탕을 두고 이윤 획득을 위해 상품의 생산과 소비가 이루어지는 경제체제(*네이버 사전검색 인용)라는 것인데 만약, 사유재산도 없이, 부모님 밑에서 호의호식하게 된다면 과연, 올바른 자본주의 사회에서 살아간다고 말할 수가 있을까? 분명한 것은 '사유재산제'를 부정하는 것은 곧, 사회주의 사상에 가깝다고 단언할 수 있다. 우리는 자본주의 사회를 살아가고 그것에 학습되어 살아왔기 때문에 자본주의 사회에서의 사회주의라는 논리는 지금, 살아가는 사회에서는 세상 밖을 바라보지 못하는 정저지와(井底之蛙)의 논리에 가깝다고 말할 수가 있다. 만약, 우리나라가 사회주의 사상이 지배된다면 상황은 아주 극단적으로 정반대가 될 것이다.

자립이 이어지고, 자유라는 해방이 주어질 때 어떤 방식으로 살아나갈지는 모든 것은 '내'가 어떻게 하기에 달렸다고 본다. 그랬기 때문에 '권력'과 '물질'은 모두 개개인의 마음의 근기에서 생성되었다가 소멸한다는 것이다. 마음의 성장으로 인해 물질을 어떻게 사용하면서 갖게 되는 권력이 뚜렷하게 발생하게 된다. (이춘풍전의 물질에 대한 핵심적인 정리이다.)

민법의 물권법의 파트에서 '소유권은 물건에 대한 권리'라고 소유권의 객관성에 대해 말하고 있는데, 부모님에게 받은 물건은 실질적으로 자신의 소유권은 맞으나, 대가 없이 가져간 돈이기 때문에 상(相)에 머무르게 되는 소유권이었고, 양심적으로 정당한 대가로 이루어진 소유권으로 정의 내리기는 매우 어렵다. 이러한 것들과 <이춘풍전>에서 많은 다의성이 있다.

 아마도 이춘풍의 아내인 '여중호걸'이라 불렀던 그녀는 이춘풍의 '오천냥'으로인해 사랑에 빠졌다는 점도 그 당시의 현실을 엿볼 수 있다.

3) 결론

 객관화과정에서 다가섰을 때 사회화는 분명 <이춘풍전>에서 말하는 물질과 권력에 대한 추상적인 관념에 대해 유사하게 전개되었는데 추상의 단어의 뜻은 '여러 가지 사물이나 개념에서 공통되는 특성이나 속성 따위를 추출하여 파악하는 작용.(*네이버 사전검색)'이라고 사전에 세부적으로 명기되어있다.

 그렇기에 사회화 과정은 곧 <이춘풍전>에서 간접적으로 표현되고 있었고 그건 소설의 거시적인 화제인 '물질'과 '권력'에 대해 작가가 추상적으로 바라본 시각이라고 할 수 있었다.

 한 마디로 소유권은 앞으로 나아가는 현실에서 더 큰 목표지점으로 지향되는 개인의 이상을 가로막는다는 필자의 개인적인 견해이다. 이춘풍은 분명 근본적인 소유권이 있는 '오천냥'이었기 때문에 그 소유권에 대해서는 근본적으로 보면 그냥 텅 비었다는 것이다.

먼저, 어떠한 논설을 제시하기에 앞서서 '무명'이라는 단어를 사전적으로 풀이해보자면, '십이 연기의 하나. 잘못된 의견이나 집착 때문에 진리를 깨닫지 못하는 마음의 상태를 이른다.(네이버 사전검색 인용)'라는 뜻이었다. 분명, 자립하지 못한 삶은 '우물 안 개구리'라는 사자성어를 직설적으로 표현하는 단어이다.

거시적인 방향에서 발상의 각도를 좀 더 틀어보면 '자립'에 대한 그 시작점은 기독교에서 말하고 있는 '행함'이었다. 이해의 과정과 경험의 과정, 그리고 계속되는 실패로 단련되는 일련의 과정들……, 그러한 삶의 모든 이치들을 행동으로 옮겨가는 과정, 그 모든 것이 일체가 되어서 깨달아가는 과정이 성자의 흐름에 들어가기 시작하는 과정이었다.

이를테면, '네 부모를 공경하라.'라는 여호와가 이스라엘 백성에게 말씀하셨던 출애굽기 20장 12절을 인용해보자면, 단지, 부모님 옆에서 선(善)만 행하고 부모님을 이롭게 만드는 것이 부모님의 마음에 행복을 주는 길일까?

부모님을 반드시 공경해야만 하는 것은 어느 세대나 불변의 진리였다. 그리고 세부적으로 판소리계 소설에서는 부모님 곁을 떠나 입신양명(立身揚名)하는 것이 진정한 효도이다. 그것이 이 소설의 핵심포인트라 할 수 있다.

또한, 자립이라는 것은 한 사람의 자아정체성과 삶이 '프로' 레벨에까지 가까워진다면 그 자격이 충분하다고 말할 수가 있다.

김동호 이춘풍전 평론

고소설론과 작가 중간과제물

1)서론

먼저, 문제에 대해 거시적인 기준에서 접근해보자면, 금오신화는 최초의 한문 소설이었고 김시습이 금오산에서 지내며 자유롭게 상상하여 쓴 작품이다. 그의 단편소설집 『금오신화』는 남염부주지, 만복사저포기, 이생규장전, 용궁부연록, 취유부벽정기로 구성되어 있다.

이번 과제에서는 금오신화의 다섯 가지 문학 작품 중에 <이생규장전> 하나만 연구하고 분석했었다. 필자는 이생규장전에 나오는 최랑과 이생의 인연과 인연이 끝나 홍건적의 난을 원인으로 사별하게 되고 이승과 저승을 다르지 않다는 아름다운 사랑에 관하여 과제를 작성해보고 싶다.

문제에서 이승과 저승의 인물을 제시하고 그와 관련된 주제로 논설요점을 제시하고 있다. 매번 똑같지 않게 김시습의 단편집 <금오신화>를 다양한 각도로 읽어봐도 이승과 저승에 대해 예리한 각도로 창작되었음을 체감할 수 있다(아마도 태어나서 처음으로 독서가 아니라 연구를 해본 것 같다.).

먼저, 김시습은 귀신의 존재에 관하여 절대적인 현실적 세계관에 심취해 있었다. 또한, 그것은 문학적인 스토리에 빗대고 있었다.

필자가 여기서 이야기하고 싶은 부분은 이생규장전에서 나오는 최랑과의 재회와 이승과 저승, 인과법에 대한 본질에 관해서였다.

결국, 핵심적인 요점은 '이승과 저승이 다르지 않고 같은 것이다.'라는 것이 논리적이라는 말인데, 김시습은 불교에 귀의했음에도 불교의 진리를 제대로 믿지 않았다. 고 했다.

그가 바라보았던 세상은 과연 시선이 어디로 향해 있었을까. 서두의 끝부분에서 본론을 향한 발화에 대해 미리 견해를 제시해보자면 이건, 필자만의 사상관인데 모든 이승과 저승의 이치가 단연코 '허깨비'였다는 사실이다. 이생과 최랑의 생과 사를 사이에 둔 만남도 분명히 그렇게 다가갔을 것이다.

2)본론
좀 더 세부적으로 파고 들어가자면 본래 태초의 우주는 빅뱅(BigBang)이라는 현상이 발생하고 그 이전의 세계는 삼라만상(參羅萬像)의 모든 섭리가 전부 텅 비었다. 어쩌면 지금 살아가는 세계에도 상(相)이라는 것, 자체가 없고 우주 법계 연결되었음을 가설할 수가 있다. (또한, 우주의 수천억 개의 은하는 사후세계의 존재를 정확하게 말해주는 듯하다.)
다른 반면에서 다가가자면, 유가에서는 귀신이라는 존재를 길흉화복을 주관하는 존재라고 믿고 있었다.

필자의 할머니는 올해 9월을 넘기지 못하시고 작고(作故)하셨다. 할머니가 생전에 쓰시던 작은 방에는 내 삶에 흔적들인 책들과 상패들, 그리고 시화를 가져다가 두었다. 솔직한 욕심은 할머니가 내가 가는 길, 가는 길마다 도움을 주고 지켜 봐줄 거라는 확신이 섰기 때문이다.
죽음이라는 것은 곧 전지전능의 힘에 의지해서 '내'가 먼저 변화되어야 한다는 것이다. 그리고 모든 세상의 이치에는 업보(業報)대로 전개되어가는 것이 분명했다.
할머니는 장례식이 끝나고 필자의 꿈에 잠시 물안개처럼 나타났다가 떠나가셨다. 신기하게 잠에서 깬 나는 머리가 너무 맑아졌고 그동안 아팠던 것도 깨끗이 사라져버렸다(솔직한 고백을 해보자면, 필자는 모든 좋은 일이 생기면 그게 들떠서(조증) 2~3분 내로 우울감으로 바뀌는 일명 조울증을 앓고 있었다. 즉, 매일, 하루도 쉬지 않고 우울감에 빠져 지냈다). 완전히 사라져버렸다면 거짓말이고 그냥 한동안 두서없이 마음이 편안해졌다. 그래서 분명 할머니는 단순한 생각으로 좋은 곳으로 떠났을 것이라는 근거라고 믿었다.

김시습이 바라보았던 귀신의 시선과는 달리 필자는 지극히 현실적임을 볼 수가 있다. 통일신라 시대의 원효대사가 주장했던 일체유심조(一切唯心造)라는 진리가 있다. '마음의 근기에 따라서 모든 이치가 다르게 보인다.'라고 주장하는 사상이다.

실제로 흉가라고 알려진 곳에서 매번 사람이 죽어 나갔고, 귀신이 존재하지 않을 것이다, 라는 믿음을 가졌던 사람이 입주해 살게 되었는데, 그냥 그 마음가짐으로 입주자는 하는 일마다 일이 잘 풀려 대박을 터뜨린 사람이 되었다. 아마도 그게 일체유심조의 정의가 아닐까, 싶다.

내가 할머니의 생사윤회(生死輪回)에 대해 극도로 슬퍼했기 때문에 할머니가 꿈에 나타났던 것이었다. 필자의 견해는 정리하자면 이러한데, 길흉화복이 아닌 김시습은 평범한 이승과 평범한 저승의 세계가 '사랑'이란 매개체로 생과 사를 넘어서 만나고 있었다. 그랬기 때문에 인간은 3차원, 그 틀 안에서 절대 벗어날 수가 없다. 하지만 3차원의 공간에서 이생과 최랑이 만나고 있었다. 그랬기 때문에 이생과 최랑을 만남을 통해 김시습이 주장하고자 했었던 세계관은 분명히 길흉화복을 넘어서서 좀 더 진보적이었을 것으로 추정된다. '진보적'이라는 말의 의미는 앞서 언급했듯이 귀신론을 지극히 허구인 문학적으로 바라보았다는 것이다.

 좀 더 깊이를 주어서 이야기해보자면 김시습은 조선 초기 때 사람이다. 한반도의 역사상 조선이라는 시기는 매우 정세가 혼란스러웠던 시기였고 체제가 덜 갖추어졌다고 말할 수 있었다. 또한, 남쪽엔 왜구나 북쪽에서는 오랑캐의 침략 등, 많은 사람들이 죽어 나갔던 시대였다.

 단순한 것 같으나 단순하지 않은 죽음(死). 현실 속의 죽음은 살아서는 깨달을 수가 없었다. 만약, 이번 생이 끝이 나고 다음 생에 기약이 없다면 어떨까? 분명한 것은 모든 죽음이란 현상은 오온(五蘊)이 사라져버리는 현상이었다.

 3차원이 절대 4차원이 될 수 없는 만큼, 그냥 사바세계는 세상의 이치를 행하면서 도(道)를 닦아가는 일련의 과정일 뿐이었다. 그게 빅뱅 이전의 시대에서 펼쳐나가고 있는 법이라는 무상(無相)이었다.

3)결론

 그러한 관점에서 다가섰을 때 <남염부수지>의 음양의 이치와 <이생규장전>에서 이생의 이미 세상을 하직해버린 최랑과의 만남. 개연성에 대해 억지로 짜 맞춰보자면 모두 필자의 이야기와 이승과 저승이 유사한 부분도 있고 어떻게 다가서자면 주장했던 이치는 각도가 많이 틀리다.

 결론을 내리자면 '금강반야바라밀다경(金剛般若波羅密多經)'에서 수다원(須陀洹)이라는 불퇴전(不退轉)의 경지는 이미 성자의 흐름에 들어갔다는 말인데 필자가 밝히고 싶은 진리는 수다원의 경지는 본질적인 이치는 결론은 천국과 지옥은 똑같은 시공간 속에 존재한다는 사실이다. 여기서 상(相)이 존재한다고 가정한다면 단지, 번뇌이고 상이 존재하지 않는다면 지금 서 있는 이 땅이 극락이고 지옥이라고 단언할 수 있다.

조선 시대가 아닌 21세기의 대승불교의 사상으로 다가가자면 사후세계의 정의란 어쩌면, '원인과 결과'라는 진리였고 그것은 연기법(緣起法)이라는 정의가 확실했다. (음양오행(陰陽五行)에서 천간(天干), 지지(地支)가 말해주는 연기법의 이치는 제대로 살펴보자면 거의 정확하다고 단언할 수가 있다.)

죽음은 업의 응축된 에너지가 되는 것이며 업으로 인해 다시 색성향미촉법은 첫째로 안이비설신의와, 둘째로 색수상행식을 만들어낸다. 그것이 필자가 주장하고 있는 윤회(輪回)라는 것의 정의였다. 즉, 안이비설신의가 사라진다는 것은 곧, 죽음을 의미한다. 마치, 빅뱅처럼 죽음으로 인해 업이 터졌다가 다시 뭉쳐서 폭발해버린다.

때문에, '과거'에 수천억 번 다져온 업보(業報)로 인해 변형된 유형으로 전개되는 미래라는 시간적 정의는 이미 정해져 있다고 결론내릴 수가 있겠다. 그것이 우주가 돌아가는 시스템이다.

지금까지 김시습의 단편소설집 <금오신화>와 이승과 저승에 대해서 분석해보았다.

<김동호 평론>
원효대사의 일체유심조(一切唯心造)의 본질과 연기법(緣起法)

1.서론

 필자가 논해보고 싶은 것은 '대승기신론 소 –제명을 해석과 21세기 대승불교의 핵심사상인 일체유심조 사상과 연기법에 관해서였다. 서두에서 이야기해볼 것은 대승기신론의 정의론인데 핵심포인트가 제명의 해석이었다. 조금 아리송한 '제명'이라는 단어를 사전적으로 해석해보자면, '명승지에 자기의 이름을 기록함.'이다. 또한, 명승지라는 단어의 뜻은 '경치가 좋기로 이름난 곳.'이라고 할 수 있다.

 문득, 여기서 '신'이라는 이미지를 머릿속에 떠올려보자면, '개개인의 믿음을 일으킨다.'라고 가볍게 구상해낼 수 있다. 대승불교 사상을 표현한 대승기신론은 저자가 원효였고 불교에서 '믿음'은 여느 종교와 같이 가장 중요하고 핵심적인 요소라고 단정 지을 수가 있다.

 대승기신론은 당시 모든 사람의 불심(佛心)을 불러일으킬 수 있었던 원인은 무엇이었을까. '대승기신론'은 성불하게 된다면 모든 중생들이 부처가 될 수 있다는 논리였다. 본론부터는 서론에서 소개한 대승기신론의 일체유심조의 본질과 연기법에 대해서 본격적으로 이야기해보자.

2.본론

 원효대사는 신라 시대를 대표하는 승려이다. 당나라로 유학 길에 오르면서 잠을 청하려고 동굴에 들어가게 쉬게 되었는데 목이 너무 말라서 잠결에 무심코 해골에 고여있는 더러운 물을 먹고 아침에 일어나 해골 물이었던 것을 알고 구토를 하며 깨달음을 얻게 된다. 그 깨달음이란 마음이 삶의 전부를 좌지우지한다는 의미로 쓰이는 바로 일체유심조(一切唯心造)였다. 원효가 주장하는 사상 중에 가장 대표적이라고 손꼽을 수가 있다. 또한, 세부적인 해석으로 업(業)의 해소로 인한 마음의 근기(根機)가 점차 적으로 높아지면서 삶의 격조가 달라진다.라고 정의 내릴 수가 있다.

대승기신론에 '부처는 세상을 구제하신 대비하신 자'라는 진리가 나온다. 어떻게 중생의 눈에 보이지 않는 '마음'이 과연 세상을 구제해낼 수 있을까. 하지만 어떻게 다가서자면 믿음이라는 것에 바탕을 두게 된다면 개개인의 마음이 마법같이 세상을 움직일 수도 있었다.

본래 진리라고 하는 것은 3차원 적일 수도 있겠지만 단순하게 죽음이라는 것에 대한 정의는 4차원적으로 반드시 우주의 섭리를 초월해야만 한다. 왜냐하면, 그 우주의 섭리는 모두 전생에서 수천억 번 다져온 '원인'과 '결과'로 이루어져 있기 때문이다. 그게 일체유심조의 거시적인 틀이라고 단언할 수 있다.

또, 각도를 살짝 틀어서 다른 방향으로 이야기해보자면 성장한 마음으로 인한 '심은대로 거둔다'라는 말도 잘 어울릴 수 있겠다.

일체유심조의 본질적인 진리는 큰 악업을 작게 받으면서 업장소멸(業障消滅)을 하게 되고 그러면서 사람의 '마음의 근기'가 성장하면서 점점, 선한 행동만 하게 된다는 논리라는 건데 타인의 마음이 선인인지 악인인지 쉽게 눈치챌 수 없겠으나 어떻게 다가서자면 매우 단순하다고 여겨진다. 자신의 마음이 어떻게 움직여지는가에 따라서 결괏값이 표출된다. 필자가 주장하는 업의 결과는 운명을 이야기하고 있는 것이 아니라, '사람과 사람이 이어온 연줄'을 말하고 있었다.

핵심적인 논점은 바로 '인연'이라는 건데, 인연의 중요성은 대단히 크다. 때문에, 삶의 시작과 끝은 전부 인연이었다. 인연(因緣)이라는 단어의 정의는 유의어로 연기(緣起)라는 단어와 상당히 유사해서 상호 치환해서도 사용할 수가 있다. 연기법이라는 단어는 눈에 보이지 않으나, 왠지 3차원은 모든 만물과 진리는 서로 연결되어 있음을 말하고 있다.

모든 번뇌는 '육신은 생각'은 결국 '허망함' 같다는 생각이 든다. 오체(五體)가 육신과 정신에서 움직여지는 것이 아니기 때문이다. 하지만 모든 육신의 생각은 전부 고통의 원인이었으며 가짜였다. 그랬기 때문에 그것의 원인이라고 할 수 있는 신구의(身口意)는 절대로 단순하지가 않았다.

사실, 모든 번뇌(육신의 생각)가 깊은 깨달음이라고 할 수 있다. 그 번뇌에 대해 차례대로 나열해보자면 첫째로 보시(普施)를 깨달았고, 둘째로 진리에 대해 깨달았다. 셋째로 그 과보로 불교를 믿게 되었다. 넷째로 이 마음을 굳게 잡았고 하는 일마다 잘 풀리기 시작했다.

위 예시는 연기법(緣起法)의 본질적 이치인 인연법(因緣法)이었다. 그냥 '원인이 있으면 결과'가 있다는 말이다. 물론, 다른 뜻으로 '사람과 사람 사이의 관계에 대한 연줄'로 단어를 정의 내리기도 한다. 불교에서 두 가지 전부를 사용하고 있다.

예컨대 연기법에 대한 가설을 세워보면 바닷물의 움직임을 파도라고 가정해보자. 파도는 파도지 다른 어떤 것이 될 수가 없다. 태초부터 존재하고 있었던 바닷물은 해수면이 높아지고 낮아지면 변화하게 된다. 그래서 수사학적으로 다가서자면 a+b=ab가 될 수가 있다. (절대, 만물의 이치는 새로운 유형인 C로 전개되지 않는다.)진리와 법이 그러하다는 주장이다.

업과 업이 더해져 변형된 과보가 탄생한다는 논리였다. 또한, '지은 대로 받는다.'라는 논리였다. 모든 만물과 인연은 본질을 토대로 두고 변형된다는 제행무상(諸行無常)의 논리가 있기 때문이다. 절대 고정불변이라는 현상은 존재하지 않았다. 그러한 a와 b가 만물의 이치는 본질을 토대로 천천히 변화하게 된다는 것이다. 다만, 실체는 오온이 텅 비어 아무것도 존재하지 않았다. 아마도 일체유심조 사상도 시대가 갈수록 변화되어서 전해질 것이다. 다른 비유로 일체유심조에 대해서 빗대어 보자면.

음양오행(陰陽五行)에서도 천과 지지의 조합으로 인한 과보인 0~20세(유년기), 20~40(청년기), 40~60세(장년기), 60~80세(노년기)라는 개념은 새로운 유형이 아니라 모두, 본질을 토대로 예측되는데, 전생에서 이어온 업에 의한 업보라고 할 수 있다. 이건, 공부를 깊게 하지 못해서 세부적으로 들어가지는 못하나, 필자가 가볍게 공부한 바로는 거의 정확하다고 보면 된다.

*

연기법의 기원은 이러했다. 약 130억 광년 전에 빅뱅이 있게 된 다음 모든 세상의 이치가 실체적으로 환상이 되어버렸다. 실체가 있는 듯, 없는 것처럼 보이는 것이다. 또한, '나'도 존재하지 않았기 때문에 내가 손가락 마디, 하나, 하나 움직이는 것이 모두 업의 작용이라고 단정 지을 수가 있었다. 그 이치로 인해, 아미타 부처님은 극락과 지옥의 예시를 사바세계에도 만들어두었다.

사바세계에서의 시공간은 절대 '과거'와 '미래'로 갈 수 없었기 때문에 모든 것은 '현재의 변형'이었다. 부처의 논리대로라면 이미 자연재해와 같은 현실적인 것들은 연기법에 대한 사실을 말해주는 지극히 당연한 객관적인 이치가 되어버렸다.

3차원 적(인간의 숫자는 3이었다.)으로 다가섰을 때 귀신이라는 존재는 길흉화복(吉凶禍福), 그 이상도 이하도 아니었다. 절대 사람의 마음속에 내주하지도 않는다. 4차원 속에서 살지 않기 때문이다. 다만, 업(業)이라는 작용으로 봤을 때 업의 차원에서는 존재한다.

3.결론

죽는 것도 죽는 업이 작용했었기 때문에 어떠한 사건에 의해서 발생하는 것이 분명한데 그랬기 때문에 모든 만물에는 본래 실체가 존재하지 않았다.

생사윤회(生死輪回) 또한, 결국 실체가 없어 텅 비었다고 단정 지을 수가 있었다. 대승기신론에서의 '마음의 근기'의 원리는 이러했다. '안이비설신의'에서 '색수상행식', '색성향

미촉법'이 이어지면서 시공간이 전개되어가는데 만약, 삼라만상에 '안이비설신의'가 존재하지 않는다고 가정한다면 죽음이며 반야심경(般若心經)의 이치대로 결론은 실체적으로 오온이 텅 비었다는 증거였다.

안이비설신의에 관해서 순서대로 나열해보자. 만약에 눈이 사라지면 세상이 보이지 않고, 귀가 사라지면 아무것도 듣지도 않고 맛을 느낄 수가 없으면 세상의 모든 맛이 사라지고 생각이 사라지면 생각을 할 수가 없다. 그렇게 '안이비설신의' 모두가 사라지게 된다면 온 세상에 '색수상행식'이 사라지게 된다. 그렇게 '색수상행식'이 사라지게 된다면 '색성향미촉법' 역시 사라지게 된다. 그렇게 죽음은 모든 것을 공(空)으로 만들어 버린다. 그리고 '안이비설신의' 또한, 과거세 현재세 미래세에 대한 업(業)에 의한 과보(果報)였고 업이 과보인 '신(身)', '구(口)', '의(意)'를 거울삼아 삼세(三世)에서 이어온 개개인의 입신양명이 전개되고 있었다.

그랬기 때문에 필자의 주장들은 삼라만상의 모든 현상들이 신이 모든 것을 정해 놓으신 '그의 이야기'가 아니라, '나'의 마음의 근기에 따라 세상을 움직이는 '나의 이야기'라고 최종 결론을 지을 수가 있겠다.

지금까지 원효대사의 저서 대승기신론과 21세기의 대승불교와 연기법에 대해서도 이야기해보았다.

문학비평론 교재, 현대사회의 페미니즘 비평에 관하여

1.페미니즘 정의론

이야기를 시작하기 앞서서 서두에서 이야기해볼 부분은 보통 평론이라는 분야는 원칙적으로 '원인'과 '결과'에 어긋나지 않고 최대한 객관적으로 쓰도록 노력해야 한다. 평론이라는 정의는 타인의 옥고를 비평하는 것이기 때문에 간단하고 쉽게 쓰여서도 안 된다.

작가가 자신의 작품을 어떤 시선에서 창작하였는가에 대해서 무게의 중심점을 두어야 하는데, 문학에는 다양한 종류의 부문이 존재하고 있고 작가가 살아왔던 시대와 환경, 전반적인 작품의 내용, 작가가 생각하고 있는 주된 사상과 같이 다방면의 각도에서 오래 연구된 내용에 대해 평론되어야 한다.

개인적으로 다양한 종류의 문학 분야에서 어느 정도 격조 있게 다루어져야 할 분야가 바로 '평론' 분야였다.

평론의 논점은 요즘 논란의 대상으로 손꼽히는 '페미니즘 (Feminism)'이었고 '페미니즘'의 사전적 정의는 이렇게 명기되어 있다.

여성의 권리 및 기회의 평등을 핵심으로 하는 여러 형태의 사회적, 정치적 운동과 이론들을 아우르는 용어1)

라는 것으로 거시적인 정의론을 결론 내릴 수가 있는데, 1장 정의론의 시초로 그 중심에 심층적으로 더 깊이 들어가 보자.

---

1) (*네이버 사전검색 인용)

필자는 기본적으로 페미니즘을 따르는 사람인, 일명 '페미니스트(Feminist)'에 시초를 두고 창작 활동을 하고 있다. 또다시 사전을 인용해 단어를 해석해보자면 '페미니스트'라는 단어의 정의는 대중적으로 쓰이는 해석은 '여성에게 친절한 남자를 비유적으로 표현 한 말.'이고 전문적인 정의는 '페미니즘을 따르거나 주장하는 사람.'이다.[2]

필자가 처음 작품활동을 하기 시작했을 때부터 페미니스트의 성향을 띈 작품을 쓰기 시작했다. 또한, 퇴고에 대해서 알기 전부터 여성향 소설이나, 드라마, 애니메이션에게 사랑에 빠지게 되었고 어느 순간부터 '사랑하는 사람을 지켜야 한다.' 또는, 한발 더 나아가서 '목숨 바쳐 지켜야 한다.'라는 미디어에 내포된 반복적인 사상들을 연구해보고 알고 있는 지식을 바탕으로 글로 표현하고 싶은 욕구가 많았다. (내년에 대학원에 가게 된다면 페미니스트에 관해서 많은 분량의 논문을 쓰고 싶다.)다만, 현실은 침대에서 천장을 바라보며 망상에 빠지고 있었다. 사실, 천장은 우주법계였다.

2. 현대사회에 반영된 페미니스트 문화

현대사회의 페미니스트에 관해서 객관화시켜서 논설을 몇 가지 전개해나가자면,

첫째로 필자가 페미니즘 사상에 대해 영향을 받았던 것은 슐

---

2) (*네이버 사전검색 인용)

한 '남자 페미니스트 작가'들 때문이다. 남자 페미니스트들의 작품을 읽어나가면서 '뭐지? 이 세상에서 나 말고 다른 남자 페미니스트도 있었어?'라는 단순한 생각의 시초로 페미니스트에 대한 단일화된 고정관념에서 벗어날 수 있었다. 그들이 바라보았던 페미니스트의 시선에 대해서 깊이 빠져들게 되었다. 또한, 그들이 자신들이 시간이 흐르고 그 정체성을 스스로를 인정하기까지, 성장해나가면서 느꼈을 정신적인 고충에 대해서 또다시 묵묵히 생각에 잠겨본다.

두 번째로 필자가 12년 전에 우연히 채널을 돌리다가 텔레비전에서 봤던 드라마가 한 편 있었는데, 차민지, 백진희 주연의 드라마스페셜 <비밀의 화원>이었다. (사실, 드라마스페셜을 좋아했기 때문에 명작만 기억해두었다가 인터넷에서 유료로 보곤 했었다.)

두 명의 문학소녀가 우정을 통해 서로의 마음에 대해 알아나가는 이야기였다. 그 아기자기한 두 소녀의 감정과 거기서 아름다운 갈등 부분이 가장 인상 깊이 빠져들게 되었다. 나의 인생 작이었던 그 드라마가 이어지는 스토리를 두서없이 수용해나가면서 페미니즘이 일반적으로 대중문화에 미치는 영향력에 대해 깊게 묵상해보게 되었다.[3]

또 다른 드라마에서는 페미니즘에 관하여 더 자극적으로 표현했던 것은 '앞이 보이지 않는 여자에게 눈을 내어주기 위해 목숨까지 바치는 남자'에 대해서 보게 된다면 페미니즘 문화가 얼마나 미디어에서 자극적으로 반영되었는지 곧장 알아차릴 수가 있을 것이다.[4](이젠, 사전적 정의처럼 단순히 '중립'

---

3) KBS 드라마 스페셜 '비밀의 화원'의 내용에 대해 인용한 것이다.
4) 드라마 '천국의 계단'의 한 장면에 대해 인용한 것이다.

이라는 가치관을 넘어서서 여성들은 '여성 우월주의'를 외치고 있다.)

세 번째로 '여성의 사회화'에 관해 이야기를 제시해보자면, '여성의 사회화'는 이미 현대사회에서 중요한 현실적 요소가 되어버렸다. 특히, 사회에서의 여성이 하는 중요한 역할인 어른을 아이처럼 돌봄(care)을 하는 행위는 사회성이 부족한 남성에게 사회화과정에서 크게 자극을 받고 용기를 얻게 된다. 그랬기 때문에 사회에서 돌봄의 영역은 결코, 가벼운 영향력이 아니라 그 영향력은 '이성'의 영역과 '모성'의 마음, 두 가지가 내포되어 있다는 사실이었다.

네 번째로 페미니즘 비평에도 페미니스트들을 비판하는 관점도 있다. 바로 '문학비평론'교재, 한 챕터에 기재되어 있는, 현재까지 머물러 있는 7, 80년대의 남성적인 가부장적인 문화에서 그 비판점에 대한 초점을 찾아 나설 수가 있다.

간단히 말해서, 아직도 보수주의자들의 가부장적인 '남성 우월주의'가 존재하고 있기에, 페미니즘 비평의 분야는 다양한 측면에서 연구된 내용을 바탕으로 타협점을 찾아 나가야 한다.

마지막으로 이야기해볼 점은 현대사회에서는 수많은 종류의 갈등이 존재하고 있지만, 그중에 대표적인 것이라고 말할 수 있는 <젠더갈등>은 요즘 SNS에서 대세적인 이슈로 떠오르고 있다. (네 번째 예시에서 유사하게 전개된 내용이라고 할 수가 있다.)

<젠더갈등>에 대해서 좀 더 세부적으로 들어가자면, 중립적인 관점에서 다가서서 17~18세기 유럽의 부르주아 혁명기에 제창된 천부인권사상(天賦人權思想)의 관점에서 다가서자면

남성과 여성은 똑같은 인간이기에 똑같은 천부인권이 기본이 념이라고 단언할 수가 있는데, 여성은 그걸 넘어서서 '여성 우월주의'를 주장하고 있고 남성도 상대적으로 가부장적인 '남성 우월주의'를 주장을 제시하고 있는 현실이다. 그랬기 때문에 '젠더갈등'이라는 분명히 드러나는 사회문제가 야기된다는 논리였다. 다음은 앞서 제시한 논리에 대한 필자만의 가설이다.

여기서 필자의 견해를 간단히 개입해보자면, '젠더갈등'이란 남자와 여자가 성별 간의 인권에 대한 문제에서 다소 차이가 있다는 건데, 남성과 여성은 '사랑'이라는 명제 아래 가장 아름답게 어울려야 하는 것이 분명했기 때문에 '페미니스트'와 '반(反) 페미니스트' 사이의 갈등인 '젠더갈등'은 우리 사회에서 분명히 사라져야 하는 이론으로 인해 발생하는 논쟁이다.

3.생각의 차이는 반드시 '이해'와 '배려'에서 만들어 나아가야 한다.

평론을 마무리하자면 '페미니스트(Feminist)'라는 정체성은 살아가는 사회에서 지극히 일반화된 사실이 되어버렸다. 나는 어떠한 기회가 주어진다면 한 번쯤은 페미니즘에 관해서 평론을 써보고 싶었다.

*

개별적인 사람의 생각에 대해 어떠한 명확한 합의점을 만들어나가는 것은 결코, 쉽지가 않다. 하지만 독자와 작가는 자라온 환경이나 생각이 달랐기 때문에 독자가 작가와의 그 생각이라는 차이에서 독자가 작가의 사상에 대해 이해영역을 넓혀나가는 부분도 있었다.

그랬기 때문에 사람과, 사람이 살아가는 삶에 대해서는 분명하게 드러나는 다양한 생각의 차이가 야기되고 있다(사람 간의 생각은 절대 똑같을 수가 없다.). 자본주의 사회에서도 이렇게 필자처럼 특이한 사람과 같이 세상에는 독특한 생각을 하는 사람이 너무도 많이 존재하고 있는 건 분명한데 한발 더 나아가서 돌연, '생각'이 아닌 '사상'이 다른 성별 간의 이해충돌이 얼마나 많이 존재하고 있을까?

사람 간의 생각이 다르다면 화합되기가 어렵다는 것은 이미 현실적인 사실이 되었기 때문에 남녀 간의 의견 차이를 공통적인 요소인 '이해'와 '배려'에서 차츰 타협점을 맞추어 나가야 한다.

-김동호 평론-

나혜석과 현대사회의 페미니스트
  -국문학 연습 기말과제물

1.서론

소설 <경희>는 여성의 신식 교육에 대해 주제로 설정한 나혜석의 단편 소설이다. 소설의 내용에서도 이야기하고 있듯이 여성의 '페미니즘'교육은 현대사회에서 영향력이 깊게 뿌리를 내리는 중요한 요소가 되어버렸다.

나혜석이 살아왔던 시대는 일제 강점기 시대였고, 여성의 교육이 매우 취약했던 시대라고 알고 있었다. 어떻게 다가서자면 그 당시 최초로 일본에 유학까지 갔다 왔던 나혜석은 그야말로 신여성(新女性)이라고 불러 졌던 대단히 특별했던 여성이라고 말할 수 있었다.

소설 <경희>는 최초의 여성이 신식 교육을 받으러 일본으로 유학을 가는 '신여성'에 대한 주인공으로 이야기가 전개되어 나가고 있었다. '최초'라는 말 그대로 당시 일제 강점기에는 '여성의 교육은 분명히 잘못된 것이었다.'라는 인식이 강했던 것으로 단언할 수가 있다. 소설에 나오는 그 '신여성'은 나혜석, 자신의 모티브로 무척 개연성 있게 그려냈다는 점을 엿볼 수가 있었다.

또한, 갑오경장(甲午更張) 이후 신식문물을 받아들인 조선 사회의 분위기가 크게 변화되었음을 중점적으로 표현하고 있었다.

나혜석이 주장했었던 <페미니스트>는 보통 '페미니즘을 따르는 사람.'을 뜻하는 것이기도 하지만 다른 표현으로 '여성에게 친절한 남자.'라는 의미로도 통용된다. 그러한 페미니스트는 '젠더 갈등'이 되었고 사회적으로 크게 논란이 되어 언론에서 보도되고 있다.

지금, 현대사회에서도 '나혜석'의 사상관이 현대사회에서 많은 논란을 야기시키고 있는데 현대사회가 아닌 일제 강점기 시대의 세계관에서는 과연, 어땠을까. 게다가 일본인도 아니라, 조선인으로 살아가기가 굉장히 어려웠던 사회였을 것이다.

경희라는 소설은 여성학과 관련된 공부를 하는 사람이라면 한 번쯤은 읽어보고 넘어가도 좋은 작품이라고 생각한다. 필자도 남자지만 여성학이라는 학문에 관심을 두고 있다.

처음에 필자는 그냥 '여성에게 친절한 남자' 정도였고, 항상 모든 비슷한 연령대의 여성을 <여신>과 같은 시선에서 바라보았다. 천주교에서 예수의 어머니인 성모 마리아를 여신으로 숭배하고 있는 것처럼 말이다. 그러다가 여성학이라는 과목에 대해서 중점적으로 공부하고 연구하게 되었고, 그렇게 <나혜석>이라고 하는 매우 특별한 여성에 대해서도 알게 되었다.

나혜석은 조선 사회에서 크게 논란이 되었다는 것을 알 수가 있었고, 그녀가 불러일으킨 파장은 21세기에는 필자처럼 남자, 페미니스트가 존재하게 만들었다.

'여자가 남자보다 키가 작고 덩치도 작으니까 남자는 당연히 여자를 보호해주어야 한다.'

189cm의 필자가 페미니즘에 대한 시작점도 이 짧은 문장에서 시작되었다. 나혜석도 이러한 생각에서 페미니즘에 대한 시작점이 존재했으리라, 라고 생각한다.

실제로 페미니스트였던 여성들은 그저 단순히 남성에게 '보호'받아야 한다는 단순한 사상만으로 가지고 사회운동을 벌이고 있는데, 그들은 여성의 인권, 권리 등에서 여성의 우월성을 주장하고 있었다. 그러한 페미니스트라는 마인드가 존재하지 않는다면 절대로 이해하기 어려운 세계관이라고 단언할 수 있었다.

2.본론

또한, 나혜석에게는 일제의 탄압은 크게 없었을 것이다. 왜냐하면, 그 당시 일제는 탈봉건주의 사상이 지배적인 통치이념이 되었기 때문이다.

그녀는 가히, 파란만장한 인생을 살아왔다. 조선 여성 최초로 간통까지 했었던 것으로 역사성에 기록되어 있다. 조선 여성 최초라고 표현했던 말 그대로 간통이라는, 행위는 그 당시 유교적 사상이 지배적이었기 때문에 도저히 용납되지 않는 논리였다.

나혜석이 추구했던 이상적인 세계관의 초점은 과연 어떤 것이었을까. 지금도 나혜석의 그 '세계관'에 대해서 많은 논란을 일으키고 있다.

'페미니스트'에 대한 논점을 세부적으로 파헤쳐 보자면 나혜석이 말하는 '여성을 보호하는 것'과 '페미'는 직접적인 연관이 있었다.

정말, 나혜석도 요즘 '페미들'처럼 그러한 분류였을까. 필자가 대충 추론해보았을 때 <나혜석> 또한 요즘 페미니스트들처럼 끼 부리기를 했을 것 같다는 생각이 든다. 어쩌면 나혜석이 가장 먼저, 끼 부리기를 창시자였을지도 모른다.

'반(反)페미' 진영에서는 '페미니스트'들을 일반적으로 '페미교'라고, '페미니즘을 마치 신을 숭배하는 종교'로 보는 시각도 있다. 현실적으로 페미가 정말로, 종교처럼 믿고 따르는 학문이 되었다는 것이다. 그리고 페미니스트들의 생각과 행동은 정상적이지 못했다. 하지만 그들은 절대적인 미(美)를 추구했다. 술의 먹고 흐트러진 모습을 보인다고 할지라도 페미니스트들의 마음속에는 어떤 것과도 이길 수 있는 아름다움이 존재했다.

*

나혜석은 지극히 가부장적인 조선 사회에서 여자가 이혼해서 위자료까지 청구했기 때문에 사회적으로 큰 파장을 불어왔다. 여자가 이혼하고 위자료를 청구한다는 것은 현대사회에서는 지극히 일반화가 되어버렸지만, 나혜석 당시에는 너무 사이즈가 큰 사건이었다.

조선 말기의 희대의 사건이 되었던 일명 <나혜석 이혼 사건>을 정리해 보자면, 그녀의 사상체계가 결코 전통적인 부분이 존재하지 않는다는 것을 볼 수 있다. 생각 자체가 뼛속까지 서구적이었음을 알 수가 있다.

여성운동이 활발했던 프랑스에서는 여성이 1945년부터 투표권이 생겼고 나혜석이 결혼했던 시기에는 서구에도 크게 여성에 대한 권리가 이제 막 제대로 들어선 것으로 알고 있는데, 한 마디로 '신여성'이기 때문에 가능했던 과연 '신여성'다운 발상이었다. (물론 조선 시대의 고전소설 중에서 여성 영웅소설도 창작되기도 했었다.)

대중가요에서도 페미와 관련된 사상이 많이 존재했다. 발라

드를 예시로 들자면, 항상 '지켜야 한다.','여자를 위해서라면 목숨을 바쳐야 한다.'라는 유치하고 엄청난 사상들을 내포하고 있었다. 필자는 중학교 때부터 많은 양의 미디어를 보며 자라왔고 대중가요뿐만 아니라, 영화, 드라마, 애니메이션에서까지 그러한 생각들을 내포하고 있다. 웹소설을 쓰는 어린 학생들도 무의식적으로 여성향 소설을 쓰고 있고 그러한 글쓰기의 관점에서 다가섰을 때 대체 적으로 페미니즘 사상이 일반화되었음을 알아차릴 수가 있다. 그건, 여자 페미니스트들이 딱 싫어하는 장르라고 할 수 있다.

현대사회에서는 '페미니스트'라는 것은 좋은 이미지가 아니며 대체 적으로 부정적인 사상으로만 여겨진다. 친일은 나혜석 당시 조선인들 사이에서는 크게 좋지 않았고, 다만, 권력층 사이에서는 매우 큰 호응을 얻었을 것이다.

분명한 것은 당시에는 조선인들은 너무 힘이 없었고 그들을 지배하는 계층은 권력층이었을 것이다. 그러므로 나혜석은 당시 일제의 간부들에게 많은 지지를 받았을 것으로 추정된다. 그녀는 독립운동가가 아니다. 많은 사람도 이 부분에 대해서 오해가 많지만, 그녀는 일본 쪽에 가까웠던 예술가이다.

나혜석은 1927년 파리에서 친일파로 알려진 파리의 외교관, 최린을 만나서 사랑에 빠지게 된다. 그랬기 때문에 나혜석은 분명 친일에 가까웠다고 말할 수가 있었고, 현대사회에서는 그런 그녀를 미화시키고 있다. 하지만 그 당시 일본 사상 자체가 모두 잘못된 것이라고 할 수 없었다. 필자가 보기에는 '억압'과 '폭력'을 제외한 선진화된 일제의 사상들은 무조건 배척하며 멀리하기보다는 어느 정도 필요한 부분은 받아드려도 된다고 생각한다.

한국 네티즌들 사이에서 한국을 비하하는 단어인, 일명 '헬조선(Hell朝鮮)'이라고 하는 단어가 있는데 그 단어에 대한 정의를 풀이해보자면, '우리가 살아가는 세계는 너무도 험하고 매우 복잡다단한 세상'이라고 말하고 있었다. 우리는 어떠한 생각들을 옳고 그름을 판단하기가 어렵다. 조선에 여성학을 알린, 나혜석의 또한 시대는 옳고, 그른지 섣불리 판단할 수 없었다.

종교들 사이에서도 서로 배척하고 싸우고 헐뜯는 경우까지 이어진다. 개개인의 정체성 또한, 마찬가지이다. 정체성의 끝에는 모든 것을 텅 비우고 내려놓는 '해탈(解脫)'이라는 경지가 존재했다.

신여성의 마지막 모습은 초라한 비구니였다고 한다. 죽기 직전까지 '끼 부리기'를 했을 것 같던 과거의 아름다운 청춘은 어디로 갔단 말인가.

사람은 반드시 늙어가고 마침내 죽음을 맞이할 때가 100% 찾아올 것이다. 나혜석은 비구니가 되고, 결혼에 실패하고, 과연, 그녀는 죽음이 눈앞까지 다가왔을 때는 무엇을 생각했을까.

나는 <경희>라는 소설을 통해서 나혜석의 성장과 죽음을 유심히 바라보았다. 현대사회에서는 많은 학자들이 그녀의 사상과 철학에 대해서 심도 있게 연구하고 있었다. 그리고 나혜석을 시초로 우리나라에서 여성학이라는 학문이 알려지기 시작했고, 지금까지 많은 논란이 집중되고 있다.

3.결론
필자는 국어국문학과를 다니고 있고, 여성학 과목도 수강했던 학생이다. '나혜석 선생님'에 관해서는 '여성교육론' 과목을 수강하고 처음으로 알게 되었고 <나혜석>이 불러온 여성학을 공부하면서 여성을 바라보게 하는 시각이 매우 달라지기 시작했다.

그 전까지는 그냥 '페미니즘을 공부하는 남자'로 소문났었지만, 지금은 세부적인 여성의 심리에 대해서 중점적으로 공부하고 있었다. 또한, 공부를 이어가면서 대한민국에서 페미니스트를 바라보는 관점도 인터넷상에서만 논란이 일으키지, 실제로는 여성학을 공부한다고 해서 나쁜 시선으로 바라보는 관점이 의외로 많이 없다는 것도 알 수 있었다.

딸을 키우는 아버지이거나 또 연애해서 결혼에 골인한 사람이라면, 대한민국의 모든 남성들이 페미니스트가 될 수밖에 없다는 것이 불변의 진리였다. 겉은 '페미니스트는 단지, 사회의 악일 뿐이다.'라고 말하면서 내면에서는 실체적으로 그것을 긍정하고 있었다.

그 예시를 현실적으로 서술해보자면, 필자의 조카 '김리안'은 3살배기 개구쟁이이다. 리안이의 아버지는 대한민국 소방공무원이다. 태풍이 와도 태풍을 뚫고 일을 하러 가는 강한 우리 형은 리안이 앞에서는 항상 나약해진다. 리안이를 보는 우리 형을 예시를 들었듯이 나혜석이 진짜 바라보았던 이상적인 세계관도 그러할 것이다.

나혜석의 세계관은 여성학을 공부하지 않고서야 생각해낼 수가 없었다. 분명 그러한 생각들은 사회적인 논란이 되어 다가올 것이 분명하다. 여성학이 불러일으킨 파장은 분명히 존재하고 있었다.

'나혜석'의 종교는 매우 특이하게 '불교 신자'였다. 학교 다닐 때 필자의 별명은 나혜석처럼 '연구대상'이었다. 왜냐하면, 자신을 드러내지 않았던 소심한 성격 탓에 친구들과 잘 어울리지 못했기 때문이다. 그래서 친구들은 나와 가까워지는 법을 찾아 연구하곤 했었다.

 만약, 서양학을 중점적으로 배웠더라면 불교가 아닌 기독교나, 천주교에 가까울 수밖에 건데 죽음의 문턱 앞에서 어째서 불교라는 지극히 동양적인 신앙을 가지게 된 걸까.

 나혜석은 시인이며, 소설가며, 화가이다. 예술 쪽에서 다방면으로 재능을 보였던 그녀는 과연, 행복한 삶을 살다가 타계한 걸까. 나혜석의 마지막 뒷모습은 매우 초라해 보였다고 한다. 그녀가 바라던 세상은 모두, 한낱 번뇌 망상이었을 뿐일까. 그녀의 날개짓 한 번에 21세기에서 현실적인 세계관이 되어가고 있었다. 그가 불러왔던 바람은 마치, 나비효과와 같이 시간을 뚫고 엄청난 파장을 일으키고 있었다. 그 페미니스트의 현대성이 너무 개연성(蓋然性)이 있어서 과연 '나혜석'답다고 단언할 수가 있었다. 나혜석이 역사로 남았듯이, 시간은 계속해서 앞으로 흘러가고 있었다.

김동호 <나혜석과 현대사회의 페미니스트>

<철학의 이해> 기말과제물

 향연이 성사되고 있는 장소는 아가톤의 집이었다. 소크라테스의 변명 한 파트에 나오는 향연은 각 분야에서 저명한 인물들이 토론하는 대화체이다. 거시적으로 큰 틀에서 향연에 접근해보자면, 향연에 참여한 사람은 소크라테스, 에뤼크시마코스, 아리스토데모스, 파우사니아스, 아가톤, 알키비아데스, 파이드로스, 디오티마였다.

 사랑의 본질에 대해서 논쟁하고 있는 것을 볼 수가 있다.

 기본적인 해석으로 향연이라는 단어의 정의는 '축하, 위로, 환영, 석별 따위를 위하여 여러 사람이 모여서 베푸는 잔치.'라고 의미를 정의 내릴 수가 있다. 내용은 대체 적으로 향연에 참석한 사람이 '사랑'이라는 철학적 이치에 대해 분석하고 대화로 인해 이치를 하나, 하나 일일이 밝히며 따져나가는 것이다.

 분석가들은 의사이자 자연 철학가였으며, 그 밖에 소크라테스의 찬미자, 수사학자, 아가톤을 사랑한다, 비극 작가, 소크라테스의 제자, 정치가이며 군인, 변론 애호자, 신학자들로 구성되어서 열띤 논쟁을 벌이고 있다.

 무척, 아이러니했던 점은 그들이 본질적인 사랑이라고 할 것 같으면 '동성애' 부분도 포함한다고 말하고 있는 사람들이었다. 향연에 참석한 각가지 사람 중에서 남자인데도 불구하고 소크라테스를 사랑하는 사람도 존재하고 있었다.

 18세기의 대표적인 영국의 시인인 셸리는 괴짜 <향연>을 읽고서 크게 경탄하며 영문으로 번역까지 했고, 유럽에서 향연이 문학과 철학적 가치로 사람들에게 널리 알려지기 시작했다.

　대화체에서 '사랑'이라는 용어가 주로 사용되고 있는데 사랑의 본질이 '수치스럽다.' 아니면 '지극히 명예로운 일이다.'라는 이분법적 표현 같으나 다의적으로 해석되고 있기 때문에 논쟁의 사이즈를 키우기도 한다.

　향연의 주연으로 소크라테스를 찬미하는 자도 나온다. 여기서 소크라테스의 사상에 접하게 되었을 때 찬미자는 대체로 어떤 것을 말하고 있는 건지 대충 감이 오기 시작한다. 마치, 유가의 사상처럼 악(樂)에 대해서도 언급하고 있는 것을 볼수가 있다.

　본론으로 들어서서 대화 화제를 반전시켜서 덕(德)에 관해서 토론을 이어지고 있다. 덕이라는 가치가 그들이 강조한 1순위의 사상들이라고 가설해도 좋을 듯하다.

　의사가 이야기한 부분에서는 의술, 체육기술, 농업기술 같은 것들도 조화를 도모해야 한다고 말하고 있었다.

　신학자가 등장하는 파트에서 종교로 이어지기도 한다. 신학자 파트에서는 주로 역사적인 사건에 관해서도 이야기를 다뤘는데 바로 아테네인과 스파르타인이 서로 전쟁하는 내용이었다.

　또한, 신학자는 미(美)와 추(醜)에 관해서도 논하거나 가설하는 것도 볼 수가 있다. 인간은 선과 악은 중간이라고 말하고 있으며 기도의 본질적 정의에 관해서도 말하고 있다. 이건 철학자와의 대화에 대한 일부분이다.

　그렇다면 이들이 대화를 통해 어떠한 해답을 유추해 내려고 했을까. 또다시 각도를 틀어서 접근해보자면, 이 대화에서 모두를 공감하게 하는 명확한 해답이 나왔을까?

이성에 대한 사랑을 넘어서서 남성 간에 사랑도 존중한다는 부분이 나온다. 남성 간의 사랑은 물론 '연장자와 연소자를 사랑하는 것'과 '정신적인 사랑을 키워나가는 것'이라는 대목도 나온다.

또한, 소크라테스는 미소년을 사랑했다고 말하고 있는데 여기서 혼돈되지 말아야 할 점은 그는 '미소녀'가 아닌 '미소년'을 사랑했다고 말하고 있다는 점이다. 그건 곧, 아테네어로 '아니무스'라는 해석. 그 해석의 정의에서 접근해보자면 '남성성에서 여성성을 찾는다.'라는 것이다. 대화의 전반적인 내용 그대로 계속해서 '향연' 파트에서 '동성애'에 대해서 반복해서 강조하고 있는 점을 볼 수가 있다.

그랬기 때문에, 그의 뜻이 너무나 심오해서, 아테네인들은 그를 사형까지 선고했다. 아가톤의 비극에 관해서도 대화를 이어나가고 있었다.

필자의 의견에 동의하듯 계속해서 대화를 이어나가던 중에 아폴로도로스는 "나를 미치광이로 만들 생각인가?"라고 말하고 있었다. 그들은 지혜를 향해서 갈망하고 있었고 언쟁들은 점점 더 치열하게 이어지고 있음을 볼 수 있다. 향연에서는 지식인이 그렇듯, 소크라테스는 분명한 예주가였다는 것도 엿볼 수가 있다.

그들은 공통 적으로 사랑의 신 '에로스'도 찬미했다. 에로스에 대한 사상논쟁에 대한 공방전도 치열하다.

또한, 태초의 모든 신중에 에로스가 가장 먼저 태어났다고 말하고 있었다.

그 근거로 이 시를 둘 수가 있다.

태초에 혼돈이 있었나니
다음에 생긴 것은 변함없이 넓은 대지니라.
그리고 영원히 존재하는 만물의 터전 위에 에로스가 생겼느니라.

 사랑을 주제로 토론을 이어나갔던 그들의 본질적인 결론은
에로스의 사랑이 그 주제였으며 본질적인 이치로 그들이 내린
공통적인 해답은 에로스는 신들 가운데 가장 먼저 태어났다는
사실이었다. 그들의 의견 논쟁은 신이 해결해주고 있었다.

본인의 감상
-플라톤의 향연을 읽고

 플라톤에 대해서 거시적인 두 가지 논점을 제시해보자면 소
크라테스가 진짜 주장하고 싶었던 것과 그 주장이 진정 의미
하는 바는 무엇이었을까. 나는 여러 번, 고민해봐도 그가 정
말 괴짜가 아닐까, 라는 단순한 결론밖에 내리지 못하겠다.
마치 필자가 한 번씩 사색가가 된 것, 마냥 깊은 생각에 빠지
는 것이 '멋'이었던 고등학교 때가 떠오른다. 하지만, 후에 깨
닫게 된 것은 모든 만물의 이치는 공(空)이라는 사실이었다.
그의 사상은 말도 되지 않는 비유법이었고, 본질적인 사상 체
계 자체가 21세기와는 양극적임을 결론 내릴 수가 있었다.
 그때 당시에는 지금과는 다양한 생각의 차이가 있었고, 지금
까지 그 생각의 차이에 대해서 명확히 밝혀내지 않았던 시대
였다.
그가 태어난 시기는 예수가 태어나기 훨씬 전인 기원전 시기

였다. 공상적인 이야기겠지만 그때의 문명은 지금의 문명보다 확연히 뛰어났을 가능성이 아주 희박하지만, 충분히 존재하고 있었다.

(핵전쟁으로 멸망했다고 하는 가설도 있다.)

에로스 말고도 그들은 미와 추의 본질에 대해서 강조했으며, 그것은 현대에 이르러 미학(美學)이라는 학문이 생겨나는 계기가 되었다.

여러 번 언급해보지만, 향연은 핵심적으로 무척 흔한 화제인 <사랑>에 대해서 추상적으로 강조하고 있다는 점을 볼 수가 있다. 그러나 소크라테스는 저차원적 깊이가 아닌 고차원 그 이상으로 사랑의 깊이와 본질에 대해서 따지고 있다는 사실이 분명하다. 하지만 그 본질이 지금의 사고방식이랑 확연히 다르다는 점이다.

나는 향연이 포함된 소크라테스의 변명이라는 도서를 스물한 살 때부터 여러 번 반복해서 읽기 시작했다. 절대, 쉽지 않은 난이도의 글이었다. 그 당시의 문해력으로는 도저히 이해할 수 없던 글들이었기 때문에 여러 번 다독을 시도해봤지만, 끝내 똑바로 이해하지 못했다. 하지만 방송대에 입학하고 공부를 제대로 하기 시작했을 무렵에 소크라테스의 변명을 다시 읽어보았을 때는 어느 정도 문해력이 생기기 시작했다.

과제의 마지막 부분을 필자의 개인적 견해로 제시해보자면, 일상적으로 대화에 있어서 '말하기'보다는 경청하는 자세들이 진짜 대화에서 주도권을 쥔 사람들이라고 개인적으로 견해를 제시해본다.

지금까지 플라톤의 <향연>에 대해서 이야기를 해보았다.

한국문학과 대중문화 기말과제물

1. 아래에 제시된 작품 중 하나를 선택하여 그 문학적 특성과 문화사적 의미를 설명한 후, 해당 작품에 대한 분석을 토대로 1970년대 한국사회의 특징에 대하여 설명하시오.

난쟁이 가족은 아직 살아있다.

1.서론

난쟁이가 쏘아올린 작은공은 조세희가 1970년대에 창작된 작품이다. 난쏘공(이하, 난쟁이가 쏘아올린 작은공)은 1970년대 산업화과정에서 발생했던 하층민의 참담했던 현실들을 적나라하게 표현한 작품이다.

그 문학적 특성에 대해서 일일이 따져보자면 그 당시에는 산업화과정까지 이루어내기 위해서 많은 노동자들의 피땀 어린 희생이 있었기 때문에 가능한 일이었다. 그들의 희생이 있었기 때문에 현재 대한민국의 노동개혁을 만들어가고 있다는 논리이다.

현실에서는 그 대상은 산업화의 상징인 '전태일'이라고 말할 수 있었고 '난쏘공'에 빗대자면 '전태일' 역할을 유사하게 소화한 사람이 난쟁이의 큰아들 영호라고 할 수가 있었다. 사형선고를 받은 영호의 시대는 '죽음'을 지칭하는 사형집행이 있었던 시대였다.

필자는 이른 나이인 고등학교 때 난쏘공을 보았고 문학에 무지했던 어린 나이였지만 1970년대의 참담한 산업화에 대한 현실을 간접적으로나마 깨달을 수가 있었다.

좀 더 세부적으로 들어가서 문학사적 의미를 서술해보자면 노동자와 노동자를 지배하는 사용자의 대립, 그리고 일을 손에서 떼지 않으면 살아갈 수 없었던 참담했던 시절들, 그리고 그 시절을 살아갔던 우리 어머니와 아버지.

시간의 이치가 정직하게 흘러서 시대가 바뀌어버린 21세기.

모든 흘러가는 시간들은 똑같은 속도로 똑같이 흘러가는 것도 아니었다. 시간의 이치는 절대 똑같이 흘러가지 않았다. 상(相)이 존재하지 않아야 바라볼 수 있는 것들.

2.본론

인문계고등학교에 다녔던 필자의 친형(지금은 소방공무원이다.)은 항상 난쏘공을 읽고 있던 내게 '난쟁이의 가족은 아직 살아있다.'라고 말하곤 했다. 그 난쟁이의 가족은 바로 한때 작가라는 직업을 반대했었던 어머니였다. 어머니는 많이 야위셨다. 건물주인 어머니는 중국집에서 설거지 일을 했었고 절대 일에서 손을 떼지 않으셨다. 최근에 건강검진을 했었고, 머리부터 발끝까지 다행히 이상은 없으시지만, 고된 노동 덕분에 관절통이 온몸을 지배하였다. 또한, 당뇨까지 앓으시고 계셨다.

그런 어머니를 보자 문득 1970년대 후반에 은강방직에서 고뇌하던 영희가 떠올랐다.

팔에 옷핀을 찌르면서 일을 시켰던 작업반장. 물론 그 정도까지는 아니었지만, 필자도 6개월간 공장에 다녔었고, 공장의 긴장감은 지금까지 말도 못 할 만큼 큰 중압감이 느껴졌다.

현대중공업에는 건물 꼭대기에 큰 문구가 이렇게 적혀 있다. '나라가 잘사는 것이 내가 잘 사는 것이고 나라가 잘 사는 것이 내가 잘 사는 것이다.'라는 것이다. 바로 21세기의 자본주의 사회를 적나라하게 표현하고 있었다. 영희는 그렇게 나이가 들어서 우리 어머니 또래가 되었을 것이다.

불가의 언어를 빌려 쓰자면, 연기(緣起)라는 법칙은 재재바르게 원인이 있다면 그에 따른 결괏값이 있다는 논리는 분명한 이치가 되었는데 그러한 시대가 있었기 때문에 사용자 위주의 시대와는 지금과 확연히 다르다는 점이다. 그랬기 때문에 노동자들이 유리한 쪽으로 계약서를 쓰는 현실이라고 할 수 있다.

그건 작은 소기업에서도 사정도 마찬가지였다. 필자는 치킨집을 운영하고 있다. 쓸 거 다 쓰고 적금을 100만원을 하는데 직원을 두게 되면 그냥 적자라고 할 수 있다. 그런 면에서 다가서자면, 건물주가 아니라면 필자뿐만 아니라 거의 모든 소상공인들은 적자라고 단정할 수가 있었다. (사장이 일반 알바생 보다 수익이 더 적은 실정이다.)또한, 최저임금이 시간 당 만원 정도 한다.

노동자가 유리한 시대가 다가왔다. 거의 모든 노동자들이 고급인력이 된 것이다.

1970년대와 지금의 확연한 차이점을 엿볼 수가 있다. 1970년대 한국사회 적 특징은 다시금 말하자면 살아가는 데 쉽지 않았던 시대였다. 돈이 없으면 절대 밥 먹고 살아갈 수 없는 배고픈 사회라고도 할 수 있었다. 사람을 사고파는 일도 자연스러웠고 일을 하다가 다쳐서 불구자가 되었던 시절이 있었다. 특히 베트남 전쟁에 참전해서 돈을 벌어오는 일도 있었다. 돈이 없으면 살 수 없었고, 돈이 없으면 죄인이 되었던 시대였다. 시계가 어떻게 흘러가고 있을까, 난쏘공은 실제로 일어나는 사건들을 재현하고 있는데 말이다.

영희가 끊어진 기타줄을 튕기고 있는 묘사를 볼 수가 있다. 아름다운 영희가 그렇게 살아가는 모습이 너무 가슴 아프다. 마치 대한민국 어머니들의 청춘을 보는 것 같다.

또한, 거기서 난쏘공에 나오는 하층민의 삶이 과장된 것이라고 볼 수가 없다. 절대 과장되지 못하기 때문에, 뫼비우스의 띠의 장면이 나오고 있었다. <뫼비우스의 띠>는 1970년대의 빗대어서 현실을 표현하고 있었다.

중학교 3학년 때 필자는 실업계 고등학교에 진학하게 되었고 수업에 뒷전인 필자를 위해 선생님께서 뫼비우스의 띠를 인쇄해서 읽어보라고 나누어줬을 때 <뫼비우스의 띠> 부분을 덜 성장한 문해력으로 인해 그 의미를 똑바로 이해하지 못했다.

하지만 방송대 국어국문학과를 공부하고 느낀 것이 '강자가 약자가 되기도 하고 약자가 강자가 되기도 한다.'는 의미였다는 것을 해석할 수가 있었다.

바로 21세기에서 <노동자 계급>과 <사용자 계급>을 빗대어서 묘사한 것으로 볼 수가 있다.

문제에서 제시했던 난쏘공의 문학사적 특징에서 빗대어 보자면, 무력만이 강자가 될 수 있다는 것을 보여준다. 바로 <꼽추>와 <앉은뱅이>가 사나이를 쓰러뜨리고 입주권을 받아내는 장면으로 볼 수가 있다. (결국은 앉은뱅이는 약장수를 따라나선다.)

또한, 지섭과 은희의 이야기도 나온다. 소설이 전체적으로 옴니버스 형식으로 소설구성이 이루어져 있다. 꼭, 노동자와 사용자의 갈등만 이야기한 것이 아니라, 1970년대의 사회상들을 적나라하게 표현했음을 엿볼 수가 있다.

여기서 조세희가 진정 표현하고 싶었던 것은 무엇이었을까. 그의 간단한 수수께끼 같은 다의성에 여기서 말을 줄여야겠다. 나머지는 묵상하자.

3.결론

자, 시간이 흘러 2023년이 되었다. 그건 세월이 흘렀다는 것이며 간단히 말해서 '10년 정도면 강산이 변한다.'라는 논리는 살아가는 세계에서 지극히 당연한 이치인데 시간은 난쏘공이 창작된 시기부터 벌써 반세기 가까이 흘러버렸다.

급변하는 시대 속에서 형이 말한 대로 난쏘공 가족은 정말 지금까지 살아있었다. 그 모든 것들을 시대(時代)라고 말하고 있는데 급변하는 사회는 단순하게 흘러가지 않는다.

유신, 군사정권 그것들은 산업화 시기였던 1970년대의 시간들이었다. 다만, 2023년은 바야흐로 자유의 시대였다. 다만, 그때 개개인의 자유를 만들어내지 않았다면 세상을 살아갈 수가 없다.

자유의 정의는 이렇다. 개개인의 자유 또한, 신체적 자유, 정신적 자유, 경제적 자유. 그 모든 것을 개개인의 '독립'이라고 단정 지을 수 있는데 최대한 빠르게 만들어내지 않는다면, 시기가 너무 늦어버린다. 그게 난쏘공의 시대적 이치와 다르게 흘러간다고 말할 수가 있었다. 그렇게 세월은 계속해서 쉬지 않고 지속적으로 앞으로만 흘러가고 있었다.

지금까지 <난쟁이가 쏘아올린 작은 공>을 읽고 과제를 작성해보았다.

심리학에 묻다, 기말과제물

심리학에 묻다, 문제의 내용대로 순차대로 317~334P 분석.

보통, 우리가 살아가는 삶은 금전에 얽매이고 그것에 쫓겨가는 일을 진로로 선택하는 경우를 종종 볼 수가 있다. 또한, 그것 때문에 수명까지 줄이는 상황이 되는 것이 지극한 현실이 되어버렸다. 그리고 대부분의 사람들은 심지어 건강까지 팔아서 얻은 금전이 권력이고 명예라고 단정 짓고 있었다.

개인의 감정과 사랑은 물질의 후순위라고 단정 짓고 있다. 충분히 먹고 잘 살 수 있는 데도 물질을 집착하는 점을 볼 수가 있었다.

필자의 집은 건물주이다. (사실은 너무 별것 아닌 일을 하고 있다.)가족들과 함께 치킨집도 운영하고 있고, 소설가로 활동을 하면서 방송대 국어국문학과를 다니고 있고 또, 이렇게 마지막 학기의 기말고사를 준비하고 있고 11월 7일에 학수고대하던 한국방송통신대학교 문예창작콘텐츠학과 석사과정에 입학원서를 내었다.

이게 필자가 33살이라는 나이까지 이루어냈던 현실들이다. 하지만 마음, 어디 한 곳이 불안함을 감출 수가 없었다. 그 불안감을 차례대로 정리해보자면,

1.불완전했던 과거
2.생사윤회(生死輪廻)
3.현재
4.부모님에 대한 걱정
5.전쟁, 풍수재해

6.미래를 바라보는 결혼

이 다섯 가지는 도무지 살아가면서 떨쳐버릴 수는 걱정거리였다. 하지만 불교 철학에서는 모든 것들이 잘못된 생각들이고 번뇌 망상일 뿐이라고 어서 하루빨리 내려놓으라고 말하고 있었다.

이런 5가지 슬픔에 대해 마음 트레이닝과 빗대어서 살펴보자면.

내 마음의 척도(감정의 척도화)를 숫자로 표현하자면, 순차적으로 1~10이라고 가정해보자. 아마도 내 우울 척도는 아마도 5~6정도쯤 될 것이다. 이것을 해결하는 방책으로 첫째로 기분 일기를 쓰는 것이다.

어쩌면, 가장 기분 일기를 쓴다는 느낌과 가까운 것은 지금이 <심리학에 묻다> 기말과제물을 작성하는 느낌과 많이 유사할 것이다.

둘째로 즐거운 활동이라고 할 것이다. 일 말고도 운동모임(달리기 모임)과 문학 모임하며 가끔 사람들과 어울리는 모임을 하고 있다. 솔직히 모임을 시작할 때는 긴장이 되기도 하고 피곤하기도 했고 감정이 우울한 감정이 지배적이었지만, 모임이 끝나갈 때쯤은 항상 기분과 정서가 몹시 들뜬다.

짧게 이야기를 끝을 쓰게 되었는데 마지막 문항인 느낀 점과 배운 점에 대해서는 최대한 길게 써보겠다.

일단 마음 트레이닝 방식이 6가지가 됐는데 필자가 선택한 부분은 내 마음의 척도와 기분 일기와, 즐거운 활동을 세 가지 선택하게 되었다. 어떻게 다가서자면, 한편으로는 너무 기본적인 것이 될 수도 있었다. 하지만 심도 있게 파고 들어가자면, 무언가 깊이가 있는 방식이었다.

필자는 작년, 4월부터 올해 9월까지 너무 힘들었던 때가 있었다. 필자 생각은 기분장애 같아 보였으나 병원에서 '조울증'이라고 정의 내렸었고 기쁜 일이 생긴다면 2~3분 내로 우울증(*조증)으로 바뀌는 병이었다. 문학상을 타고 기쁜 일이 생겼는데 2~3분까지 심장이 벅차더니 그 돈을 야금, 야금 쓸 때마다 불안감이 감돌았다. 쓰는 글마다 부정적인 언어밖에 표현되지 못했다.

그 덕분에 치킨집을 개업하면서도 가족들에게 의존해야 했다. 그러나 본질적인 내면의 불안은 지금까지도 남아 있었다. 대학원 합격하고 기쁨을 느낄 감정은 어느 정도 자리 잡고 있었다.

다음으로 마음 트레이닝의 방식 중에서 '나의 핵심적인 신념 찾기'라는 부분이 나오는데 나의 핵심적인 신념은 '사랑'이라고 단정 지을 수가 있다. 내가 어떻게 되든, 사랑하는 사람을 반드시 지키고 싶었다. 그게 나의 삶의 본질적인 이유라고 할 수가 있었다.

필자는 어릴 적부터 오타쿠에 가까울 정도로 다양한 애니메이션을 애호가였고, 대부분 다 '환상게임'이라든지 '스타오션 Ex'같은 정의의 사도가 나타나 여성을 지키는 스토리였고 그걸 보는 필자를 감동하고 있었고 '남자는 반드시 여성을 지켜야 한다.'라는 신념을 가슴에 새기게 되었다.

불교에서는 세 가지 보시(報施)가 있는데 그중 가운데 무주상보시라는 보시의 한 종류가 존재했다. '목숨을 걸고 누군가를 지켜준다면, 복덕이 무량할 것이다.'라는 말을 신뢰하고 있었다.

다음으로 이야기할 것은, <오래된 습관 버리기>라는 이었고 절대 쉬운 것이 아니었다. 필자는 그동안 많은 습관을 버렸지만, 어떻게 다가서자면 습관을 버린다면 당장은 아니지만, 삶이 매우 달라질 수가 있었다.

그중 하나가 거시적으로 선업(善業)이라고 단정 지을 수가 있는데 어떤 사람은 잘못한 것도 없고, 그냥 아무것도 하지 않았는네도 만나는 사람마다 원수지간이 되어야 하는 운명임을 종종 볼 수가 있다. 만나는 사람마다 악업에서 선업으로 바뀌기까지 얼마나 많은 습관을 고쳐내야 할까.

<습관>이라는 단어의 정의는 불가의 이치로 용어로 업(業)이라고 정의 내릴 수 있다. 그건 시간이 흘러간다 해서, 아니면 먼저 마음이 성장한다고 해서 소멸하는 것이 아니다. 반드시 악업에 상응하는 어떠한 대가를 치러야지만 소멸하는 것이다.

나의 꿈을 분석해보자면, 필자는 얼마 전 첫사랑이 나오는 꿈을 꾼 적이 있었다. 한 번쯤 만나면 나는 그녀에게 무엇을 말할 수 있을까? 라고 생각해보았다.

또는, 지금 무슨 일을 하면서 누군가의 옆에서 행복하게 살고 있을까. 그때처럼 예쁜 얼굴은 여전할까. 페르소나로 표현한 내 작품은 전해졌을까.

세월이 흐르면서 내가 인생의 길을 찾아 바삐 움직이고 있을 때 나는 어느새 그녀를 내려놓고 있었다.

시간의 이치는 그녀를 연줄이 끊어져 버린 지 14년이 흘러 갔다고 말하고 있었다. 그녀는 분명 이제는 나이가 들고, 한 아이의 엄마가 되었을 것이다.

다음으로 이야기해볼 것은 교재에 나의 역기능적 사고 찾기

였는데, 이 부분을 좀 더 세부적이면서 현실적으로 묘사해보자면 얼마 전 가을밤을 줍고서 뜬눈으로 밤을 세운 적이 있었는데 '그때 걔가 걔 아냐?'라고 밤새 생각하다가 아침에 늦잠 잔 기억이 많을 것이다.

하지만 부랴부랴 정보를 찾아보니 밤새 생각했던 것이 현실은 정반대였다. 필자는 그때 밤새 불안했던 것이 해소되면서 일시적으로 마음이 맑아져 버렸다.

'어떠한 번뇌가 있기 때문에 반드시 깨달음이 있다.'

바로 불가에서 주장하고 있는 가르침이었다. 자신이 머릿속에서 떠올려진 것은 분명히 잘못된 사고방식이었다. 현실과 동떨어지게 살아가는 것이 현실이었다.

하지만 인간은 그 번뇌의 현실에서 깨어나지 못하는 것을 볼 수가 있다.

앞서서 이야기했듯이 필자는 갑자기 찾아온 조울증을 시달렸다고 했다. 그 이유 없는 혼돈 속에서 필자를 불안하게 했던 숱한 생각들 가운데에서 진실은 얼마나 많이 존재할까? 이유가 없는 것들에서 필자는 불안해하고 있었다. 필자가 경험한 바로는 모든 해답은 긍정적인 것에 오히려 더 가까웠다.

<감정 단어의 연습>이라는 파트를 정독해보았고, 문득, 나를 괴롭히는 단어들이 떠오른다.

'결혼', '생사윤회', '생노병사' 같은, '불완전한 미래' 나를 완전히 떠날 수 없는 불안들.

그 엄청난 굴레에서 벗어나기 위해 무엇을 해야만 할까.

이것들을 퍼즐로 만들어서 떠올려보라고 말하고 있다.

마지막으로 나의 방어기제 이해하기를 살펴볼 것인데, 29살 때 1년 동안 공인중개사 시험을 준비했었던 시절이 있었다.

그때 많은 어른들이 "취업 안하나?"라고 말하며 입을 심하게 뗐다. 그 말이 어찌나 듣기 싫던지. 나는 그 소리가 너무 듣기 싫어서 시험이 끝나고 여러 가지 시도를 했다.

공인중개사 자격증만으로 사람들이 인정을 해주지 않는다는 사실을 체감할 수 있었다. 그래서 나는 반사적으로 "열심히 살고 있어요."라고 대답하고 있었다. 사실, 별로 한 것도 없는데 말이다. 아무튼, 교재에는 그것을 '합리화'라고 말하고 있는데 목표가 생긴 지금은 작은 것에 기뻐했던 그때가 그립다.

마지막으로 과제 타이틀의 페이지를 전부 분석하기 위해서 교재 319페이지에 있는 황경신, 밤 열한 시라는 시를 분석해볼까 하는데 시의 전문은 이러하다.

인생에서 어떤 일은
매우 짓궂은 방법으로 반복된다.
만약 당신이 적절한 대처방법을 모른다면
인생의 대부분은 잡을 수 없는 것을 잡기 위한
헛된 노력과 얻을 수 없는 것을 얻겠다는
헛된 희망으로 소모된다

　　　황경신 밤 열한 시 중에서

첫 연에서 인생에서 어떤 일은 매우 짓궂은 방법으로 시작된다. 라고 표현하고 있다.
좋은 일이든지, 나쁜 일이든지 매우 짓궂은 방법이라는 점인데 해결하는 방식을 모른다면, 전부 '헛되다.'라고 표현하고 있다. 바로 인간의 '마음'에 대해 표현하고 있다는 것을 볼 수가 있다. 인간의 마음의 본질이란 그러할 것이다. 생각 자체가 '헛되다.'라는 표현을 쓰고 있다. 또한, 글을 쓰는 지금, 필자도 공(空)을 내면 안에 두고 글을 쓰고 있었다. 그랬기 때문에 마음에 어떠한 상(相)이 있게 된다면 모두 헛된 희망이라고 단정 지을 수가 있다.

여기까지가 황경신 밤 열한 시를 분석한 내용이다.

<심리학에게 묻다, 기말과제물>

철학의 이해 중간과제물
[인간은 이성적인 존재인가, 욕망하는 존재인가]

Q.1 플라톤이 생각한 인간다운 인간은 어떠한 인간인가?

플라톤은 인간을 '자기가 본 것을 탐구할 수 있는 자'라고 말하고 있었다. 불가에서 안의비설신의(眼意鼻舌身意)가 곧, 색수상행식(色受想行識)이라.

석가모니가 주장했던 철학의 변형에 대해서 언급하고 있다.

하지만 부처는 그 모든 진리를 공(空)이었지만, 플라톤이 주장했던 인간다운 인간에서 어떠한 상(相)을 남긴다, 고 주장하고 있었다. 그건, 부처의 말과 분명히 역설되는 것이다. 하지만 부처의 진리에서 분명하게 '번뇌가 있기에 깨달음이 있다.'라고 말했다.

유사한 부분에 대해서 빗대어 보자면, '상처가 있기에 어떠한 성장'이 존재하고 있었다. 그랬기 때문에, 인간은 성장한다는 이 확실한 이치라고 할 수 있다. 그것이 '육체라는 감옥에 갇힌 영혼'이라고 그는 가설하고 있었다. 또한, 성서에서 '육신의 생각은 죽음'이라고 로마서 8장 6절에 기록되어 있는 것도 볼 수 있다. 하지만 데카르트와 붓다는 한발 더 나아가서, '존재'한다나 '깨달음'이라고 표현하고 있었다.

데카르트의 말대로 '생각한다, 고로 나는 존재한다.'라고 했듯이 거짓된 현실 속에서 거대한 집착을 하며 성장해나가고 있다.

Q.2 아리스토텔레스는 인간이 왜 이성을 잘 발휘하는 법을

배워야 한다고 보았는가?

아리스토텔레스가 주장했던 핵심적인 사상은 이성에 관한 것이라고 할 수가 있다. 그가 주장했던 이성론의 핵심개념을 짧게 정리해 보자면, 이성은 감정을 절제하는 힘이다.

기독교에서 말하기를 지혜란 단어를 사전에 찾아보면 세부적인 뜻 네 가지 중, '절제'라는 지혜의 일부분이 있었다. 때문에, 아리스토텔레스는 그 절제를 통해 성장해서 추론적 사고능력과 지성을 통해 삶을 배워나간다고 필자가 객관화된 가설을 세워 보았다.

때문에, 아리스토텔레스의 이성관은 현대적 사상의 이성보다 높이 평가받고 있었다.

그리고 인간의 본성에 대해서도 논설했었는데 이 부분에 대해서는 필자의 본성론과 아리스토텔레스의 본성론과 비교해 설명해보겠다.

*

필자는 인간의 본성은 살아가는 환경과 인품, 그리고 지혜에 따라서 내면적 선과 악과 외부적 선과 악이 결정된다고 말했다.

(여기서 외부적 선과 악은 주변 사람들의 선과 악이다.)

또한, 어떠한 외부적 선은 설령 악이라고 할지라도 마치, 선인 것처럼 느껴진다는 가설이다. 필자는 이분법으로 나누어진 그러한 선과 악을 모두 지각하며 살아왔다.

문제의 초점은 아리스토텔레스인데 인간의 본성은 '중용'이라고 말하고 있다.

선과 악이 '중용(中庸)'이란 어느 것에 따라서 선과 악이 정해진다는 의미라고 할 수가 있는데, 이 부분은 굉장히 흥미진진한데 필자의 경험과 매우 유사하다고 느껴진다. 할 말이 많지만, 더 이상의 언어는 함축해야만 하는 필요성이 느껴진다.

Q3 인간이 자연의 입법자라는 칸트의 말은 무슨 의미인가?

칸트는 필자도 이름은 많이 들어본 철학자이지만, 소크라테스의 변명만 정독해봐서 그런지(아마도 10년 동안 30번은 읽었을 것이다.), 서양 철학에 대해서는 고전적 이론과 사상을 제외하고 몹시 낯설다. 하지만, 그를 좀, 더 알고 그에게 새롭게 다가서기 위해 교재와 다르게 논설해보겠다.

그의 사상 중에 대표적인 말은 '우리는 우리가 가진 것에 부유한 것이 아니라, 우리가 없어도 될 수 있는 것에 의해 부유하다.'라는 말이다. 바로 '마음'에서 그 시작점을 찾을 수가 있다.

바로 자연적인 외부환경에 의해서 시시각각 변화되는 우리의 '마음'이다.

칸트가 주장한 이와 같은 명언은 '내 마음의 근기에 따라서 세상이 변화하는 논리'와 유사했고, '마음에 의해서 변화되는 세상'을 주장하고 있다.

마음이 부유해야 부유해질 수 있고 마음이 부유하지 않으면 설령 물질을 많이 가졌다고 가정할지라도 절대 부유해질 수가 없다. 그랬기 때문에 칸트가 말하는 인간이 '자연의 입법자'라고 하는 것이다.

Q4 정언명령(定言命令)이란 무엇인가?
(By 칸트.)

계속해서 중세의 서양 철학과 선과 악에 대해서 문제를 제시하고 있다. 사람들은 대체로 선을 갈구한다. 물론 세상을 악하게 살려고 하는 사람도 존재하지만, 대부분의 사람들은 최대한 선에 대해서만 갈구하려고 노력한다. 칸트가 주장했던 사상도 분명히 그러할 것이다.

언행을 착하게 하려고 노력하는 것이 바로 인간이다. 어떤 종교 서적에도 세상이 악하다고 강조하고 있는데도 말이다.

성서에서도 이렇게 말하고 있었다. '세월을 아끼라, 때가 악하다.' 바로, 에베소서 5장 16절 말씀이다.

Q5 홉스에 따르면 사회계약은 어떤 이유로 체결될 수 있는가?

앞서 필자가 논설했던 대로 절대 선, 절대 악은 없으며 선악의 판단은 개인적 문제라고 말하고 있다. 바로 필자가 살아오면서 겪어왔던 세상과 홉스가 경험한 세상이 유사하다는 것을 볼 수 있다. 그 핵심을 홉스가 제일 먼저 발견했다는 사실이다.

본론 적 쟁점은 홉스가 어떻게 사회계약을 체결하냐는 것인데, 교재에는 이렇게 서술되어 있다.

'물론 이 경우 사람들은 사회계약을 지키는데 남이 사회계약을 지키지 않아 자신이 손해를 보게 될 가능성을 생각하게 되고 이 가능성에 대비책으로 사회계약을 지키지 않는 사회 구성원에게 처벌을 내리는 방안을 마련하게 됐다고 보았다.'

이 몇 줄의 문장은 단순하게 현대사회에서 나라에서 거두고 있는 다양한 범칙금이라든지 죄를 지으면 형량을 받는 경우를 예시로 둘 수 있다.

그렇게 악을 패배시키는 사회가 구성되어가는 것이다.

Q6 흄은 도덕이 어떻게 성립된 것이라고 보았는가?

흄은 이성을 공공연하게 '감정의 노예'로 본다. 이 문장에 대해 필자의 견해에 빗대어 해석해서 짧게 논설해보겠다.

이성은 절대 감정을 이길 수가 없다. 감정은 인간을 지배하고 있고 죽어서야 인간은 이성으로 감정을 이길 수가 있다. 이성이 감정을 지배하는 상태가 불가에서 말하고 있는 해탈(解脫)이었기 때문이다.

Q7 '무의식의 의식화'란 무슨 의미인가?

무의식은 곧 무지(無智)이다. 그건, 자라나는 어린아이라고 예시로 들 수가 있다. 똑바로 바라보고도 현상을 알아채는 경우이며 어린아이는 종종 띄엄띄엄 어떠한 기억을 하지 못한 채 자라나는 아이도 있다.

그때 필자는 영화 '나비효과'를 보았고 그 나비효과의 중점적인 내용은 이러하다.

나이가 20대가 되어 '나비효과'의 주인공은 차츰 어릴 때의 순간, 순간 잃었던 기억을 되찾게 된다.

그 영화의 가설이 과연 현실 세계에서 실상이 된다고 한다면 어떨까? 물론, 과거로 돌아간다는 이치는 사실상 거의 불가능하다고 말할 수가 있지만, 그 당시 기억하지 못했던 것이 기억나는 경우가 현실적으로 가능할 일이다.

Q8 프로이트이 도덕은 무엇인가?
　프로이트는 성장에 필요한 이론과 인간이 생애가 어떻게 성장하는지 서술하고 있다.
　감정과 욕망[5]를 짓누르면서 인간은 도덕을 배워간다는 논리라고 정의 내릴 수 있는데 인간의 멘털은 수많은 좌절과 실패, 그리고 성공으로 단련되어간다고 보았다.

2. 교재와 강의 3장을 공부하고 교재 70페이지의 2번 문제 (유가와 도덕적 삶)에 딸린 4개 문항을 모두 풉니다 . 최소분량 제한은 없으며 최대 A4지 2쪽까지 작성할 수 있습니다 . (10점)

1.인간의 본성이 왜 선한지에 대한 유가의 입장은?
　기본적인 개념을 서술해보자면 '유가'라는 학파는 공자의 사상을 따르는 학파라고 정의 내릴 수가 있다. 공자의 핵심적인 사상관은 인의예지(仁義禮智)를 강조할 수 있다.
　자라나면서 순수하게, 인의예지를 학습하고 선을 알아나간다고 보았다.
　또, 공자가 중요시했던 효(孝)를 통해 인간은 선하게 성숙 되어간다고 말하고 있었다.
필자의 개인적인 견해는 미학적으로 설명해보자면 인간의 미(美)

---

5) (리비도)

는 어떠한 선함에서 나온다고 주장했다.

반대로 인간의 본질적인 '악함'은 어디서부터 나오는가.

바로 인간이 마음에 비춰진 거울에서 나온다고 했다. 공자는 항상 단순하고 흔해진 용어인 '마음'에 대해 강조하고 있었다.

여기서 불가의 이치에 대조해서 논해보자면, 어떠한 상(相)을 만들 때 현실이 바뀌어 보인다고 했다. 현실이 똑바로 보이지 않는다는 것은 어떠한 상(相)이 없다면 곧, 모든 실체가 텅 비었다고 부처가 주장했기 때문이다.

그랬기 때문에 유가의 학파는 논어에서 '마음이 가슴에 있으면 된다.'고 가설할 수 있었다.

2. 유가가 말하는 예의 법도가 갖는 의미는?

유교가 진정 말하고 있는 예의 법도란 인의예지와 효이다. 인과란 모든 사건의 시작점이다. 그리고 성인군자라고 불리는 '인자(仁者)'는 세상 이치를 통달해야 한다는 것이다.

계속해서 공자는 논어에서 '인(仁)'을 강조하고 있다. 유가에서는 오직 공자만이 인자(仁者)라고 취하고 있다.

의(義)는 곧, '정의로움'이라고 할 수 있다. 필자의 형은 소방공무원이다. 목숨을 걸고 타인을 구하는 것이 그의 업무이다. 또한, 그의 듬직함에서 분명한 강함이 느껴진다. 그 말은 곧 목숨을 걸고, 목숨을 담보로 보시를 해야 한다는 것이다.

여기서 논점은 '선함'에 다가선다는 것인데, 과연 선함만으로 어짐에 다가설 수 있을까?

다음으로 예의이다. 예의를 지키지 않는다면 어찌 살아가면서 인간다움을 인정을 받을 수가 있을까?

지(智)는 지혜이다. 지혜는 이 세상을 살아가는 방법이다. 어떻게 살아가야 행복한 지를 인간은 반드시 그 방법을 터득해야만 한다. 폭력과 억압, 그리고 교만으로 절대 이상향을 찾아낼 수가 없었다(여기에 물질도 포함된다.).

이 모든 것이 그가 주장하고 있는 예의법도라고 할 수 있다.

3. 유가에서 말하고 있는 인본주의 사상은?

'유교'에서 말하고 있는 인본주의란 어떤 의미인지 묻고 있는 질문인데, 현대사회에서 특히, 어른들이 '물질' 다음으로 따지는 것이 '사람 됨됨이'라고 말할 수가 있다.

그렇다면, 공자 시절에는 아마도 '사람 됨됨이'를 강조한 것으로, 예상된다. 공자는 중국에서 태어난 사람이다. 중국에서도 공자는 인간일 뿐이지 신은 절대 아니다. 그리고 공자학를 비롯한 여러 사상들이 조선에서 '성리학'으로 들어오게 되었고, 그렇게 공자는 꼭, 인간 같은 신이 될 수밖에 없었다(예외적으로 도교라는 종교도 있다.).

사람들은 그것을 믿고 따르고 그렇게 사물의 이치에 대해서 깨닫고 있었다.

이것은 필자의 개인적인 사상에 투영해서 빗대 말하는 것이다. 과연, 그 심오한 뜻에서 그의 내면을 바라볼 수 있을까.

Q4. 유가사상의 봉건 이데올로기로 받아들여지게 된 이유는?

봉건 이데올로기의 개념은 노예제도라든지, 아니면 계급사회를 지칭하고 있는 사상이다. 그렇다면 이 봉건 이데올로기가 어떻게 유가 사상과 관련이 있단 말인가?

조선 시대에도 여러 신분이 자리하고 있었고, 그들을 통치하고 다스리는 데 사용했을 것으로 추정된다.

또한, 차별적이었던 것은 양반이 아니면 공자, 맹자를 읽을 수가 없었다. 그래서 그 당시에 배움의 뜻이 있었던 노비나, 천민들은 비밀리에 양반이 읽었던 책을 구해서 읽었던 것으로 알고 있다.

 하나 확실한 것은 유가 사상은 엄격한 신분 사회를 강조하고 있다는 점이다.

'소학(小學)'에서는 엄격하나 매우 기본적인 예법이 담겨져 있기 때문이다. 필자는 20살 때부터 지금까지 그 소학을 20번이나 읽어봤고, 왜, 유가 사상이 봉건 이데올로기인지 소학의 단어 하나, 하나에 대해 의미를 알 수가 있었다.

하지만, 그 의미는 현대사회에서 다양한 의미로 해석되고 있었다(종교적, 이념적, 사상적).

지금까지 '철학의 이해' 레포트 작성을 해보았다. 감사합니다. :)

<한국문학과 대중문화 중간과제물>

 '문화'라는 단어의 정의는 '대중들이 한 시대의 사회상에서 유행하고 있는 것'들이라고, 거시적인 방향으로 논설문을 정의 내릴 수 있었다.

 단어를 좀 더 풀어 헤쳐보자면 '대중문화'에서 '대중'은 일반 평범한 사람들에 대해 의미하는 것이고 그 두 가지 의미를 축약해서 미시적으로 설명해보자면, '일반 사람들에게서 유행하고 있는 문화들.'이라는 의미이다.

 필자가 고등학생 때는 학생들 사이에서는 곧장, 유행이 잘 퍼졌다. 예컨대, 교실에서 고데기를 사용하는 학생이 있거나 (고데기를 따라 사용하게 되고), 예쁘거나 잘생긴 학우가 나이키 바람막이를 입고 등교를 하면 같이 따라서 같이 입게 되던 때가 있었다. 그래서 대중문화는 어떤 것이든지 반드시 새롭게 다가와야 한다는 것이다.

 대중문화에서 '대중'이라는 의미는 '학교'라는 작은 사회에가 아니라 대중들이 살아가는, 넓은 단위의 사회 공동체를 지칭하는 것이다.

 특히 남성보다는 여성들이 좀 더 유행을 가깝게 선도한다. 그리고 어떤 경우에는 여성을 모방하려는 남성도 존재한다고 본다. 젊은 여성은 신체 구조상, 옷테가 거의 완벽하게 잘 맞기 때문이다.

 그러한 이유가 있었기 때문에 유행은 남성보다 여성이 더 이끌고 있다고 본다.

 대체로 영상매체에서 그 대중문화가 퍼지는 경우가 다반사인데 물론 드라마나 영화 같은 것들이 대부분을 차지하지만, 그 부분에서 문학 장르 또한, 그 영향력이 막대하다는 것이다.

요즘엔 문학이 오히려 대중문화를 이끄는 힘은 가히 엄청나다고 할 수 있다. 문학이 2차 적으로 드라마나 영화가 되는 경우도 다반사이다.

또한, 영화나, 드라마의 남자 주인공과 여자 주인공들은 대체 적으로 멋지거나 예쁘다. 그 이유는 예쁘고 멋지지 않으면, 유행을 이끌 수가 없었기 때문이다.

그들이 예쁘고 잘 생겨서 어떠한 여분이 있을까?

종종 경영자들은 사람을 상업화시켜서 이용하고 있다. 그것이 바로 대중문화가 차지하는 영향력이다. 그 대중문화에는 주술적인 표현도 많이 사용하는데, 상품에서 마크나, 아니면 표징이다.

음모론에서는 그것들이 모두 '일루미나티다.'라고 말하는 가설도 있다. 필자는 일루미나티에 대해서 잘 알지 못한다. 하지만 그들이 주장하는 바는 천동설과, 렙틸리언, 지구 공동설과 같은 것들인데 자세히는 모른다.

그들은 대중문화에 주술이 있다고 가정하는 바는 확실했다. 마치, 성서나, 불경같이 말이다. 어떠한 의미가 있다는 것이다.

(실제로 어느 에너지 음료의 마크는 히브리어로 짐승표인 666을 표시하고 있다.)

많은 아이러니만 남기기 위해 논설문을 여기서 줄여야겠다.

2. 근대 초 한국의 대중문화가 형성되는데 기차, 신문, 소설이 어떠한 영향을 미쳤는지 설명하시오.

먼저 매우 낯선 단어를 쓰셨는데 '기차'라는 단어를 문제의 내용대로 간단하고 쉽게 풀이해보자면, '그 이후'라는 정의로 대입할 수 있다.

문제에서 말하고 있는 근대 초는 일제가 한국을 식민 지배를 하고 있던 시기였다.

서문을 제시해보자면 이상, 김소월, 한용운 같은 현대에까지 이름이 알려진 저명한 문인들이 왕성한 활동을 했던 때였다. 근대에서는 Tv 매체와 같은 미디어가 발전되지 않은 시기라고 단정 지을 수 있었다. 그래서 그 당시에는 인쇄물인, 신문, 소설이 주로 이용되었던 시기였었다.

근현대사회에서 어떻게 영향을 미쳤냐는 사실이 주된 질문이라고 할 수 있는데 그 당시의 '시민의식'에서 시작점을 찾아간다고 볼 수 있었다. 그 당시에는 '독립','지독하게 나약하고 힘들었던 현실'에서 이상향을 찾아내고자 하는 욕망이 있었다.

그리고 김소월, 한용운, 이상과 같은 인물들이 그 의식에 대해 이끌고 있었다.

특히 만해 한용운이 그 대열에 서고 있었다. 만해 한용운은 '님'을 표현한 것이 다방면적인 의미가 존재하지만, 정확하게 그 의미의 초점을 지금까지 끝내 찾아낼 수가 없었다(단지, 다방면적 추측만 가능할 뿐이다.)

중요한 것은 그 다양한 초점에 한용운은 '독립'이라는 사상도 포함되어 있다는 것이었다.

'근대'에 대해서 잘 살펴보면 너무 힘들게 살아왔던 시기였다. 지금처럼 예쁜 옷도 못 입고 맛있는 음식도 못 먹고 몇,

몇 지식인들을 제외하고는 책도 제대로 읽지 못했던 시기였다. 때문에, 문맹률도 그만큼 높았던 시절이라고 단언할 수가 있었다.

하지만 사람들은 문학을 통해 의식이 변화되기 시작했다. 의식의 변화로 사람들은 행동으로 옮기기 시작했고, 해방 이후 문맹률은 급격히 저하되기 시작했다.

문학작품에서 그 당시의 시대상을 비추어 보자면, 최서해의 탈출기처럼 세상이 정말 암흑뿐이었던 시기였다고 말할 수가 있었다.

다시, 본론으로 들어서서, '신문' 같은 언론매체에 대해서 논설해보자면 그 당시 신문사들은 일제의 탄압을 많이 받고 있었던 상황이었다. '친일'이 아니라면 폐간될 위기에 놓이기도 했고 순경에게 잡혀가 많은 고역을 치르기도 했다.

예컨대, 가설을 제시해보자면, 원자폭탄이 투하된 일본이 조선을 독립시켜주지 않았다면?

결론은 필자가 계속해서 서문에서부터 논하고 있었던 '의식' 때문이었다. '일제에 머물러 살아갈 수밖에 없는 운명.'이라고 의식 속에서 머물러 있었다면, 지금 같은 현실은 없었을 것이다.

'근대(近代)'라는 단어의 정이를 한자어로 풀어 헤쳐보자면, '가까운 시대'라고 정의 내릴 수가 있었다.

연대를 객관화시켜서 써보자면, 바로 1800년대 후반~1970년대라고 말할 수가 있었다. 해방 이후에도 우리나라는 힘든 삶을 살아가고 있었다. '고통이 다한 뒤에는 기쁨이 있다.'라는 말처럼 힘들었기 때문에 우리의 의식은 성장해낼 수가 있던 것이었다.

또, 해방 이후와 사변 이후에 그 후유증으로 보릿고개라고 불리며 우리 어머니, 아버지 시절에는 힘들 수밖에 없었고, 그 시절을 다녀간 사람은 시대가 변했어도 한결같이 한숨만 푹푹 쉬어가며 돈을 악착같이 모아야만 했다. 그렇게 근대에서 현대로 넘어가는 1970년대 후반 대한민국은 산업화 사회로 들어서고 있었다.

그때와 대조해보자면, '헬조선'이라고 말하고 있는 대한민국의 현재는 과연 암흑 같은 현실일까? '선진국 의식'이 보편화하지 못했던 시절이라고 할 수밖에 없었다.

또한, 보릿고개 의식대로 살아가는 사람은 급변하는 현대 사회에서 절대 적응하지 못하는 것도 볼 수가 있다.

근대사회에서 전승되어온 문학들이 근현대사회에 오면서 '그때는 분명히 더 힘들게 살았는데, 지금은 아무것도 아니야.'라는 표현을 쓰지 않고 더 독하고 악착같이 살아가야만 할 수밖에 없다고 표현하고 있었다.

보릿고개 사람들은 아마도 100억짜리 건물주라고 할지라도 일 만하며 살아갈 수밖에 없는 운명인 것 같다. 그렇게 그들은 자신을 몸을 희생시키면서까지 개인주의적 시민의식을 차츰 성장시키고 있었다.

개인적인 견해를 밝혀보자면 21세기를 살아가는 본질적인 사상들은 마음의 성숙 됨에 따라서 현실이 뒤바뀐다는 부처의 객관화된 논리가 확실하다고 생각한다.

감사합니다. :)

〈고전의 이해와 감상〉기말과제물

 필자가 이번 작품을 쓰기 선택한 작품은 바로 '춘향전'이다. 춘향전의 갈래는 판소리계 소설이라고 정의 내릴 수 있다. 이본이 무려 120여 종이 넘는 것으로 알고 있다. 경판본, 완판본 필사본으로 형성되어 있다.[6]

 판소리는 이야기의 흐름을 탄 음악과도 같은 것이었다. 판소리계 소설은 춘향가를 필두로 하여 한문본이 5종, 한글 사본이 30여 종이 기록에 남아 있다.

 서두의 요점을 다시 정리하자면 판소리는 '한국의 고유 음악인 국악'이라고 말할 수가 있는데, 국악이었기 때문에 어쩐지 낯설지 않은 느낌으로 다가온다. 또한, 고전문학 중에 다양한 판소리계 소설이 존재하고 있지만, '춘향전'은 그중에서도 우리에게 너무나도 잘 알려진 소설이라고 평가되고 있다.

 그렇다면 판소리계 소설의 본질적 토대는 도대체 무엇이라고 정의할 수 있는가. 그 본질에 다가서기가 결코, 쉽지가 않아서 많은 고민을 해야 했고 앞으로 더 많이 연구되어야 했다. 판소리계 소설은 그냥, 단순한 이야기적 흐름으로만 구성된 것이 아니라 음악과 문학이 접목된 하나의 종합 장르[7]라는 사실이다.

 판소리계 소설의 의미를 사전적으로 파헤쳐보자면, '춘향전, 심청전 등 일반적으로 판소리 사설의 영향을 받아 정착

---

6) 고전소설강독 참조
7) 판소리계 소설

된 소설 판소리와의 밀접한 연관 속에서 형성되었기 때문에 판소리계 소설은 판소리가 나타난 이후에 정착'되었다고 말할 수 있다.[8]

여기서 중요한 쟁점은 '소설의 판소리화'라고 말할 수가 있는데 소설의 판소리화는 짧은 시간에 공연이 되는 것이 아니라. 꽤 오랜 시간 공연을 해야 했다.

그 계통을 따져보면 별 춘향전 계통/남원고사 계통(경판계)/옥중화계통의 세계통으로 나눌 수 있다.[9]

그 갈래는 결코, 단순하지가 않은 점임을 분명히 알고 가야 한다. 단순하지 않았기 때문에, 조선 시대에 쓰여졌기 때문에 고리타분한 소설이 아니라, 많은 로맨틱함이 살포시 묻어나는 작품이라고 말할 수가 있다.

지금까지 판소리계 소설의 갈래와 그 갈래 속에 속한 특징을 세부적으로 알아보았다.

필자가 이 작품에 흥미가 느껴졌던 이유는 춘향전의 내용 자체가 상당히 현대적이었다는 사실이다. 현대에 쓰인 작품이었기 때문에 이 작품을 선택하게 되었다. 내용 구성체계는 이랬다. 위기에 처한 여자주인공[10]을 백마탄 왕자로 나타나서 도와준다. 너무 단순해 빠진 소설이라고 말할 수가 있지만, 조선시대 당시에는 매우 새로웠을 것이다. 이 작품의 본질적인 사상은 권선징악(勸善懲惡), 사필귀정(事必歸正)[11] 같은 흔한 사자성어를 근거[12]로 내세울 수 있다. 이

---

8) 네이버 사전검색 인용
9) 고전소설강독 교재 참조
10) 성춘향
11) 모두 인과법에 의거한다.
12) 조선시대의 부정부패에 대항하기 위해 권선징악, 사필귀정 작품이 많이

작품을 선택하게 된 이유 중에 오래전에 인상 깊게 보았던 드라마 쾌걸춘향에 대해 떠올릴 수가 있다.

'춘향전'을 각색한 드라마 쾌걸춘향은 참, 재미있게 바라보 았는데 2004년, 필자가 중학교 2학년 때 방영했던 드라마 였다. 그 드라마에서 암행어사를 '검사'라고 묘사했다는 점 도 볼 수 있다. 사실상 대한민국 사회에서 검사가 되는 것 은 현실적으로 결코, 쉽지가 않다. 엄청난 난이도의 시험을 치러서 거의 만점 가까이 맞춰야 했기 때문이다.[13]

또한, 조선시대에 누군가가 이 명작을 썼다는 것 자체가 놀랍다.

이 소설의 이야기를 주체하는 등장인물은 '이몽룡','성춘 향','변사또'였다. 세 사람의 로맨틱한 이야기는 언제 보아도 가슴이 설렌다.

소설이 대체 적으로 어려운 표현으로 쓰였고, 좀 더 세부 적으로 이야기하자면 고전소설 중에 가장 현대 사회까지 알 려진 작품이 바로 '춘향전'이라는 것이다.

필자가 이 과제를 쓰기 위해서 춘향전을 여러 번 읽어봤지 만 앞서 언급했듯이 이 작품이 과연 조선 시대에 어떻게 씌 었을까, 그리고 그 소설을 바라본 대중들의 반응은 과연 어 떠했을까, 라는 깊고도 단순한 고민을 해보았다.

작품의 매력이라고 말할 것 같으면, 이 작품[14]은 너무 로 맨틱하다는 사실이다. 로맨틱했기 때문에 해설 본으로 파악

탄생했다.

13) 지금은 로스쿨 제도가 있었지만, 쾌걸춘향이 방영되었을 당시에는 엄청 난 난이도의 사법고시를 치러야 했다.

14) 춘향전

해본다면, 밤새 가슴을 쓸어내리면서 설레는 감정으로 볼 수 있는 작품이기도 하다.

내가 이 작품을 흥미를 느끼고 본 것도 이러한 연유에 가깝다고 말할 수 있다.

필자의 생각과 모든 사유와 감정을 다해서 작품을 읽어보았고, 많은 느낀 점을 남겼다.

본질적인 사상은 '보호받아야 마땅한 여성'이라고 표현될 수가 있는데 이건 사회적으로 봤을 때 조선 시대에서의 '보호받아야 하는 여성'의 본질적인 의미에 대해서 파헤칠 수가 있다. 그랬기 때문에 본질적인 사상적 이치가 여성주의에 매우 가깝다는 사실이다.

'남자는 여성을 지켜야한다.'라는 사상이 분명히 내포되었다. 또한, 그러한 표현을 썼지만, 여기서 의심해봐야 할 것은 조선 사회에서의 여성의 지위에 대해서였다.

여성의 사회화에 대해 지극히 부정했었던 당시의 시대적 상황으로 비췄을 때 이 작품이 탄생했던 시기에는 도대체 어떠한 파장을 낳게 되었을까.

그 분명한 본질성에 다가서기 위해서는 많은 생각을 해보고, 그 다양한 생각을 객관성 있게 바라보고 연구해나가야 한다고 생각한다.

또한, 이 작품은 반봉건적이거나 계급갈등의식을 지니지 않았다는 사실도 예시로 둘 수가 있다. '보국충신'이 될 만한 이도령의 가능성을 보고 이에 자신과 모친의 운명을 의탁할 마음을 먹는 것에서도 알 수가 있다. 또한, 평면적 반항으로 읽히는 변사또의 수청명령15), 여기까지 춘향전의 핵심적인 주된 내용이라고 볼 수 있다.

여기서 중요한 초점은 '수청명령'인데 정조를 지키기 위해서 그 수청명령을 거절한 성춘향의 어떤 것으로도 깨질 수 없었던 그 정조를 다시 한번 생각해본다.

당시 사회에서는 기생이 그 수청 명령을 거절했다는 의미는 당시의 시대적 상황에서 단순한 의미가 아니였다는 사실을 분명히 알고 가야만 한다.

필자가 이 작품을 과제로 쓰기 위해서 춘향전을 선택하게 된 이유는 작품을 읽어나가는 것이 마치, 첫사랑을 하고 있는 것처럼 너무 설레고 두근대서였다.

이 작품은 상당히 현대에서 지어진 작품처럼 현대성이 존재한다는 것이다. 현대성이 존재하기 때문에 이 작품을 모티브로 드라마까지 제작되었고 그 드라마가 크게 흥행하는 상황까지 이르렀다. 다른 작품16)에 대해서 비교해보았을 때 고전소설답지 않게 현대성이 존재한다는 이유를 둘 수가 있다.

그리고 그때의 시대적 상황에 다가갔을 때 상당히 고전틱하지 않다는 점도 볼 수가 있다.

대체 적으로 '변사또'를 심판하는 권선징악 사상이 담겨져 있는데 이 장면은 '풍자'였다고 단정 지을 수 있다. 그건 많은 논란을 일으켰을 것이라, 예상한다. 이 작품을 핵심적으로 바라보아야 하는 이유가 '풍자'적임에 중점적인 기준과 초점을 맞춰야 했다.

또한. 탐관오리의 만행을 적나라하게 풍자했다는 점도 볼

---

15) 고전소설강독 인용
16) 고전문학

수가 있다. 그렇다면 분명히 보았을 탐관오리의 느낌은 어땠을까,

물론, 거기에 대해서도 많은 논란이 야기되었을 것이다.

한 편의 작품이라는 것의 시작과 끝은 논란과 오해의 소지가 존재했다. 그 근거는 사람과 사람의 생각이란 것에 대한 근본이 매우 달랐기 때문이다. '논란'이 되지 않으면 작품성이 빛을 발하지 못한다는 것이 현실이다. 모든 작품이 '논란'의 물결을 타야 작품이 존재한다는 점인데, 이 작품 또한 그러한 관점에서 다가가야 한다는 것이다.

퇴고(推敲)17)에 대해서 이야기를 해보자면, 조선시대에는 퇴고를 어떻게 진행했을까, 컴퓨터로도 하기가 어려운 퇴고인데, 그 당시의 사회에는 과연 어땠을까.

불과 40년 전, 만해도 컴퓨터가 제대로 보급되기 시작한 시대였을 것이다. 필자가 '퇴고'라는 단어를 꺼내게 된 이유 또한 그때의 시대적 배경에 다가서기 위해서이다.

탐관오리들의 부정부패도 심했던 시대였다. 일단, 그 부정부패를 풍자한 작품이라는 점을 생각해본다.

또한, 그 부정부패에 대한 풍자는 단순하지가 않다. 다른 작품과 비교되게 사회적으로 많은 파장을 일으켰기 때문에 대중화가 될 수 있었던 것이 분명하다.

여기서 비교라는 점을 중요한 초점이라고 말할 수가 있는데 고전문학 '박씨부인전'과 비교를 해보자면 '여성'이라는 존재 중점적으로 둔다는 점을 볼 수 있다.

'춘향전'과 '박씨부인전'을 비교해보았을 때 가장 중요한

---

17) 문장을 여러 번 다듬어서 고침.

초점은 '여성'으로 둘 수가 있고, '여자 말을 잘 듣자.'라고 할 수가 있다.

여성의 지위에 대해서도 많은 논란이 되는 것임을 알고도 조선시대 여성운동이 많이 일어났음을 볼 수가 있다. 또한, 조선 사회에서는 여성이 벼슬을 한다는 것은 절대 있을 수 없는 일이었다.

문제에서처럼 '같은 갈래'라고 표현할 것 같으면 이 작품의 사상적 특성은 역시 군담소설인 '박씨부인전'과 핵심적인 주제가 매우 흡사함을 엿볼 수가 있다.

시대적 상황, 기술력 같은 면에서도 창작이 어려웠던 시기였다고 볼 수 있는데

이 작품을 쓰는 작가는 너무 대단하다는 말 밖엔 나오지 않는다. 많은 고민을 하지 않고 과제를 썼지만, 여러 번 춘향전의 해석본도 많이 읽어봤지만, 과제를 쓰는 내내 춘향전만큼은 정말 걸작이라는 생각이 거듭해서 든다.

거듭해서 이야기했지만, 춘향전은 정말 현대성이 가득한 작품이라는 점을 생각해볼 수가 있다

지금까지 고전소설 '춘향전'에 대해서 이것, 저것 다양하게 알아보았다.

〈여성교육론 기말과제물〉

 필자가 교재에서 유난히 좋아하는 문장은 가장 핵심적인 '포스트 모던 페미니스트'라는 문장이다. 다만, 현대사회에 들어서면서 '페미니스트'라는 단어가 현대사회에서 좋지 못한 표현으로 인식되기도 한다. 그 페미니스트의 가장 현대적인 뜻은 '여성에게 친절한 남자'라고 통용되기도 한다.[18]

 '페미니스트'라는 단어는 여성의 인권에 관한 의미로 통용되면서 성차별에 대한 영향력을 어느 정도 행사할 수가 있었다. 하지만, 그 애매한 차별의 기준 때문에 과도하게 많은 논쟁이 발생 되기도 한다. 또한, 그에 따른 사회적인 파장이 발생하고 있기 때문이다.

 만약, 남성이 여성학을 공부한다면 사회적으로 어떤 인식이 생길까, 필자가 여성학을 공부하는 이유는 필자의 소설에 여성과 남성의 동등함과 여성의 인권과 남녀 간의 평등을 표현하기 위해서였다. 또한, 필자가 경험해본 바로는 남자가 여성학을 공부한다고 해서 인식이 그렇게 나쁘지는 않았다.

 페미니스트에서 가장 중요한 초점은 남녀 간의 '평등'이라는 점을 쉽게 단정 지을 수가 있는데, 그 평등 중에는 '남자는 여자를 지켜야 한다.'는 것도 개념이 포함된다.

 또한, 페미니스트 페다고지[19]라는 말에서 세부적인 뜻이 있는 문장이 있다. 그건, '여성주의 교육학'이라고 하는 단어이다. '페미니스트 페다고지'라는 말은 교재의 제목대로 합쳐지면 '여성주의

---

18) 이 과제의 핵심적인 주제는 '남자 페미니스트'에 관한 것이다.
19) 페미니스트 페다고지: 여성주의 교육학

교육학20)'이라는 단어가 된다. '여성교육론'은 여성과 남성이 평등하고 또, 여자가 사회에서 어떤 역할을 하고 있는지 공부하는 사회학이다. 역시 페다고지의 초점 또한. 계속해서 '평등'을 강조하고 있음을 말해주고 있다.

두 단어에서 가장 핵심적인 초점은 '평등'이라고 말할 수 있다. 역시, 그 애매한 평등의 기준 때문에 많은 논란이 야기된다. 여성학에서 평등의 조건을 이분법으로 나누어서 설명해보자면, '남성 평등'과 '여성 평등'이다. 그리고 거기에 관련된 차별의 기준에 대한 사건은 너무나 다양하다. 남자와 여자는 절대 친구가 될 수 없다는 것을 보여 주면서, 사랑때문에 관계가 형성되어가고, 또한, 사회화 과정에서 어릴 때부터 이성 관계가 얼마나 중요한지 그 중요성에 대해서 배우고 성장했다. 그래서 이성 관계에서 남성과 여성은 서로를 알아가고, 서로가 엄청나게 차이가 많다는 것을 배우게 된다. 그 차이에서 차별과 갈등이 야기된다. 한 마디로, 그것을 중점적으로 교육하는 것이 '여성교육론'임에 분명하다.

남자와 여자가 결혼해서도 서로의 의견 차이가 있어서 결혼하고 헤어지는 경우가 다반사이다. 왜 그러한 갈등이 생기는지 여성교육론을 공부하면서 알아차릴 수가 있었다.

여성주의 교육학에서 본질적인 문제의 시작은 '젠더 갈등'이었다. 젠더 갈등은 사회적으로 큰 문제라고 할 수 있으면서 대세적인 이슈였다. 남자와 여자는 '행복'을 찾기 위해 만나게 된다. 하지만 사람과 사람 사이에는 분명한 생각의 차이가 존재하고 있고, 또 그 사랑이라는 것은 가까이 있어도 마음이 아픈 것이 사랑이라고 할 수 있었다. 만약, 정말로 내가 사랑하는 여자가 진짜 가질 수

---

20) 지금 공부하고 있는 여성교육론이라고 정의해도 좋다.

없는 존재라고 가정한다면 어떨까.

본질적인 결론은 남자의 감정이란 단순히 '집착은 정말 나쁜 거야.'라고 생각하면서도 끝끝내, 집착까지 이르게 되는 것이 사람의 마음이었다.

여성교육론과 나의 사랑에 대한 공통점에 대해서 생각해보았다. '여성교육론'을 공부해야 현실적인 여성의 갈등과 마음을 알 수가 있었다.

필자는 아직까지 여자의 마음에 대해서 모른다. 그랬기 때문에, 필자는 '페미니스트'에 대해서 정확히는 잘 모른다. 그것을 알아가는 것이 교육론(Pedagogy)을 공부하는 근거가 되었다.

요즘에 나쁜 남자가 대세라고 할 수 있었다. 하지만, 나쁜 남자이면서도 대부분 그 나쁜 남자는 츤데레 21)성향을 가지고 있었기 때문에 여성의 마음을 쉽게 가질 수 있는 것이 분명했다. 22)

또한, 남자는 빨리, 빨리 눈치채서 여자가 원하는 것에 대해 캐치를 하고 공감해주어야 한다.

그랬기 때문에, 페미니스트의 단어의 비슷한 뜻으로 '여자에게 친절한 남자.'도 통용이 된다.

지금까지 포스트 모던 페미니스트와 페미니스트 페다고지에 대해서 간략히 서술 해보았다.

2.

여성주의 교육자가 되기 위해서는 반드시 먼저, 여성이라는 존재를 자세히 알아야 한다고 생각한다. 여성을 알아야 여성

---

21) 겉은 쌀쌀맞으나 속은 정이 넘치는 사람.
22) (그러한 나쁜 남자는 본질적으로는 아주 여성에 대해 박사학위를 받아도 무색하게 여자에 대해서 잘 알고 있을 것이다.)

에 대해서 가르칠 수 있고, 만약, 그게 남자라면 여자를 진심으로 사랑해 줄 줄 알아야 한다고 생각한다. 또한, 남자 여성주의 교육자라면 기본적으로 여성의 마음을 알고 에스코트해 줄 수 있는 마음가짐이 되어야 한다. 그게 남자 여성주의 교육자의 자질 임에 분명하다.

필자가 이번 과제에서 이야기해보고 싶은 것은 독특하게 '남자 여성주의' 교육자에 관해서이다.

남자가 여성주의 교육자라는 사실은 정말 흔하지가 않다고 본다. 흔하지 않기 때문에 더욱 돋보일 것 같아서 쓰게 되었다.

본론에 들어가기 앞서서 오래전 사상가들은 그야말로 세상을 움직일 수가 있었다. 사상가들은 그냥 공부만 한 것이 아니라, 자신의 사상을 외부로 표현했기 때문에 세상을 움직일 수가 있었다.

어제 드라마 '야인시대' 재방송을 보고 지식인들의 사상에 대해서 생각해보는 계기가 되었다.

그리고 생각한 것은 필자가 글을 쓰기 위해 중점적으로 공부하는 여성학도 그러한 사상 중에 하나라는 사실이다. 또한, 여성주의 교육자도 세상을 영향력을 미칠 수 있는 어떠한 힘이 존재한다는 사실이다.

여기서 중요한 초점은 '자신의 사상을 외부로 드러냄.'이다. 학습이 이어지면서 그 사상들이 알게 모르게 외부[23]로 표출된다는 것이다.

그래서 사람의 마음을 움직일 수 있었다. 일체유심조(一切唯

---

23) (성격, 행동)

心造)24)라고 '마음으로 세상에 어떤 것도 이루어낼 수 있다.' 그 일체유심조의 의미대로 사상으로 사람을 마음을 움직이면 정말로 그 영향력이 막대하다는 것이다. 그건 중, 고등학교 때 학습하는 주입식교육과는 너무나도 다른 개념이라고 할 수 있었다. 그 사상 안에 여성주의라는 개념도 포함된다.25)

분명한 것은 여성주의도 하나의 사상이 될 수 있었다. 그렇다는 것은 여성주의 사상도 사람의 마음을 충분히 움직일 수 있다는 사실이다.

그리고 그 영향력에 따라서 선한 영향력으로 다가갈 수 있다는 사실이다.

필자도 방송통신대에 다니면서 사람들에게 "국어국문학과에 다니면서 여성학을 전공해요." 하면 사람들의 반응이 나쁜 쪽이 단 한 번도 없었다. 필자도 처음에 "페미는 사회에서 악이다."라는 인식들이 강해서 걱정이 앞섰지만, 주위의 사람들은 대부분 다 긍정적인 반응을 보여 주었다.

처음에 '아무도 알아주지 못할 거야.'라는 생각으로 공부를 시작했었다.

*

여성학도 하나의 사상이기 때문에 반페미26) 진영이 존재했다. 그 반페미와 화합되는 것은 분명히 어렵다.

나라마다 생각이 달라서 전쟁이 벌어지듯이, 생각의 차이는 너무나 큰 격차이다.

---

24) 마음의 근기가 성숙됨에 따라 모든 것을 이루어낼 수가 있음.
25) 여성학은 절대 주입식 교육이 아니다.
26) 페미니스트를 반대하는 세력.

단지, 생각이라는 머릿속에서 아무렇게나 흘러나는 별 것 아닌 것이.

생각이라는 개념은 현실적으로 단정 짓기에는 결코, 단순하지가 않다. 현실만 포함되는 것이 아니라 이상도 포함된다는 것이다.

관여적 '페다고지'에서는 '표현'에 대해서 강조하고 있다. 이러한 생각을 혼자서만 가지고 있는 것이 아니라, 외부로 계속해서 표현해내야 한다는 것이다.

그래서 여성주의 교육학자들은 단순히 집에서 공부하기보다는 여러 학생들과 모여서

그들만의 서로의 고민을 들어보고 또, 표현함으로써 교육의 방식이 시작되어야 한다고 본다.

또한, 기존의 패러다임에서 벗어나야 하는 것이 분명하다. 그렇게 교육이 시작되고,

만나서 공감하고, 또, 비판할 것은 솔직하게 비판하면서 교육을 해야 한다고 생각한다.

페미니스트 교수법에 대해 접근해보자면, 주관적인 경험에 관해서 설명해야 하고 또 '실천'을 전제로 해야 한다는데, 또, 학습자는 교육자와 동등한 권력을 가지며 이전보다 좀 더 활력적인 존재가 되는 것을 목표로 학습한다,[27] 등등 '소통'을 통해서 자신을 알고 다른 사람을 알아나가야 한다.

여기서 필자의 견해를 서술해보자면 절대 여성의 고민들은 단순하지 않다. 그래서 다른 사람에게 고민은 전달하면서 피드백 해주어야 한다고 생각한다. 그래서 이전보다 더 활력적

---

27) (출처:여성교육론 교재)

으로 되어야만 했다.

여성주의 교육자가 가져야 할 생각 중에 여성들이 어떻게 여성해방 의식을 하게 되는가에 대해서도 생각해보자 필자의 주관적인 경험에 빗대어서 서술해보자면. 이 문제에 대해서는 여성주의 교육자가 어느 정도 조언을 해줄 문제가 되어야 한다고 생각한다.

여성이 해방된다는 것은, 대체 적으로 '남자'와 많은 연관이 되어있다. 그 주장대로라면 가장 핵심적인 사례가 역시 남성 위주의 '가부장적인 문화'에서 시작점이었다. 여자가 감당하기 힘든 사례도 많이 존재하고 있다. 여성주의 교육자의 입장에서는 분명한 그 고민 점에 대한 명확한 해결책을 찾아주어야 한다고 생각한다.

여기서 또, 여성 교육자에게 필요한 자질은 '진심'과 '관심'이었다. 어떤 경우에서든지 진심을 담아 이야기하고 직접 적으로 관심을 갈등에 대해 마주쳐야 한다. 가령, 상대방은 정말 힘든 사건인데 여기서 진심과 관심이 담겨진 상담이 아니라면 오히려 역효과를 불러일으킬 수도 있다.

그리고 다음으로는 여성학에 대한 자신의 사상과 관념들을 똑바로 전달할 줄 알아야 한다고 생각한다. 만약, 남성이 여성주의 교육자라면 다른 성별인 여자의 마음에 대해서 어느 정도 알고 있어야 하고 여성을 사랑으로 바라보아야 한다. 그래야 그 성별 차이에 대한 '벽'을 어느 정도 무너뜨릴 수가 있다. 또, 여성을 존중해야 하고 항상, 남성이 여성과 평등하다는 것, 또한 직접 적으로 보여 주어야만 한다. 그리고 '젠더 갈등'에 대해서 생각을 깊게 해봐야 한다. 성별이 달랐기 때문에 더욱 많은 생각의 차이가 존재했다. 특히 여성의 영역인

'여성주의 교육학'에 대해서 남자가 가르친다는 것은 여러 가지 장애물이 존재했다. 그 부분에 대해서도 충분히 잘 생각해보아야 한다.

문제의 초점은 여성학 교육자가 남성이라는 사실이다. 그 사실은 여자보다 여자를 더 잘 알고 있어야 한다는 사실이다. 자신의 생각에도 충분한 영향력이 존재하여야 한다는 섬이다. 그 벽을 넘기에는 결코, 쉽지가 않다. 그로 인해 남자, 여성주의 교육자는 많은 어려움에 직면하게 될 것이고 첫인상 자체가 여성들에게 거부감으로 다가오는 문제도 현실적으로 다가올 것이다. 하지만, 여성의 내면에 대해서는 자세히 알 수가 없으나, 여성에게 진심의 마음을 가져다줄 수 있는 존재가 오직 '남자'뿐이라고 생각한다.

지금까지 남자, 여성 교육자의 자질을 필자의 짧은 견해에 빗대어서 제시해보았다.

마치며

추우면 춥다고 아프면 아프다고 슬프면 슬프다고 보고 싶다면 보고 싶다고 사랑한다면 사랑한다고 내게 말해주세요.

(2007년 고등학교 때 좋아했던 여자애가 미니홈피에 게재했던 글.)

현대사회의 페미니즘과 불교

발행 | 2023년 11월 16일
저자 | 김동호
펴낸이 | 한건희
펴낸 곳 | 주식회사 부크크
출판사 등록 | 2014.07.15.(제2014-16호)
주소 | 서울특별시 금천구 가산디지털1로 119 SK트윈타워 A동 305호
전화 | 1670-8316
이메일 | info@bookk.co.kr

ISBN | 979-11-410-5331-4

www.bookk.co.kr